Het Grote Meisjes Boek

Geschreven door Juliana Foster
Geïllustreerd door Amanda Enright

Met dank aan Ellen Bailey, Liz Scoggins,
Jo Rooke en Chris Maynard

Het Grote Meisjes Boek

HOE WORD IK in alles de Beste

DELTAS

Original title: *The Girls' Book: How To Be The Best At Everything*
(Juliana Foster)
Text and illustrations copyright © Buster Books MMVII.
All rights reserved.
© Zuidnederlandse Uitgeverij N.V., Aartselaar, België, MMVII.
Alle rechten voorbehouden.
Deze uitgave door: Deltas, België-Nederland.
Nederlandse vertaling: Evelyn Onink-Middelbeek.
Gedrukt in België.

D-MMVII-0001-341
NUR 214

INHOUD

HOE LEG JE UIT WAAROM JE TE LAAT BENT OP SCHOOL

Het is altijd handig om een paar smoesjes paraat te hebben voor het geval je eens te laat op school komt (niet door je eigen schuld natuurlijk).

'Ik was al bijna op school toen ik opeens zag dat ik mijn pyjama nog aan had. Toen moest ik terug naar huis om me om te kleden.'

'Toen ik op school kwam was de lerares niet in het lokaal, dus ben ik haar gaan zoeken.'

'Ik ben ontvoerd door buitenaardse wezens die me hebben gebruikt voor experimenten. Ik ben daar vijftig jaar geweest, maar gelukkig was dat in onze tijd maar één uur.'

'Ik heb een tijdmachine uitgevonden, waardoor ik mijn toetsresultaten kan bekijken. Ik zag dat ik allemaal tienen had, dus ik dacht dat ik het nu wel rustiger aan kon doen.'

'Ik heb te hard in de tube tandpasta geknepen en ben de hele morgen bezig geweest om de tandpasta weer terug in de tube te krijgen.'

'Mijn ouders waren de sleutels van mijn kooi kwijt.'

'Ik ben bang dat ik niet kan zeggen waarom ik te laat ben, want de regering heeft me geheimhouding opgelegd.'

'Ik ben niet te laat... iedereen is te vroeg.'

'Ik droomde dat ik de beste van de klas was, dus vond ik het niet zo nodig om op te staan.'

HOE STA JE GOED OP FOTO'S

Heb je foto's van jezelf die je absoluut niet wilt laten zien?
Met deze tips sta je geweldig op elke foto.

- Poseer niet te veel. Hoe natuurlijker je kijkt, des te beter
de foto.

- Ga rechtop staan en houd je hoofd omhoog. Draai je
lichaam een stukje opzij door je ene been voor het andere te
zetten, zoals je hieronder ziet. Hierdoor zie je je gezicht half
van opzij, wat veel mooier staat.

- Glimlach – niemand ziet er leuk uit als hij chagrijnig kijkt.
Ze hebben misschien tegen je gezegd dat je 'cheese' moet
zeggen, maar daardoor kan een glimlach juist een grijns
worden. Een lichte glimlach die je makkelijk kunt volhouden,
bereik je door je tong tegen de achterkant van je
boventanden te drukken.

- Doe je ogen wijd open (niet te wijd, want dan lijkt het alsof je verschrikt of een beetje gek kijkt). Kijk niet direct in de camera, want dan sta je met rode ogen op de foto. Richt je blik op een punt iets boven de camera.

- Ontspan je zo veel mogelijk. Haal vlak voordat de foto genomen wordt, diep adem en adem dan uit.

HOE MAAK JE EEN TIJDCAPSULE

Laat toekomstige generaties kennismaken met jou en de wereld waarin je leeft. Zoek een doos die zo goed dicht kan dat de inhoud wordt beschermd. Een plastic opbergbak is prima geschikt. Schrijf daarop 'Niet openen voor 2020' of welke datum je maar wilt. Hier staan een paar dingen die je in de doos kunt doen.

- Een brief of een opname voor degene die de tijdcapsule gaat vinden. Schrijf daar de datum van vandaag op en vertel iets over jezelf en je leven. Je kunt bijvoorbeeld beschrijven hoe je denkt dat de toekomst eruit gaat zien.

- Een paar foto's van jullie gezin en een stamboom (zie blz. 58 en 59).

- Je favoriete weekblad van deze week.

- Een cd met je favoriete nummers.

- Een glanzend nieuwe munt die dit jaar geslagen is.

- Doe er niets van waarde en geen etenswaren in.

Als de doos vol is, begraaf je hem of je zet hem op zolder.

HOE GEEF JE EEN GEWELDIG LOGEERPARTIJTJE

Met deze tips raak je snel bekend als de dekbeddiva die de beste slaapfeestjes organiseert.

• Nodig maximaal vier gasten uit, zodat je zeker weet dat je iedereen voldoende aandacht kunt geven. Stuur de zelfgemaakte uitnodigingen een flinke tijd van tevoren, zodat je zeker weet dat iedereen die avond kan. Vraag je gasten om te reageren, zodat je weet hoeveel er komen.

• Het is wel slim om een thema voor het slaapfeestje te kiezen en iedereen te vragen om één ding mee te nemen dat kan bijdragen aan de lol. Als je bijvoorbeeld van plan bent een avond rond het thema kappers te houden, kunnen je gasten krulspelden en make-up meenemen. Bedenk activiteiten en versier je kamer rond het thema.

• Bedenk spelletjes die jullie kunnen doen en verzamel van tevoren alles wat je hiervoor nodig hebt. Laat je vriendinnen hun favoriete cd's, dvd's of bordspelen meenemen.

• Wees een goede gastvrouw – zorg dat iedereen alles heeft wat hij nodig heeft en weet waar het toilet is. Kijk of iedereen een goede plek heeft om te slapen (zo nodig kun je je gasten vragen om een slaapzak mee te brengen).

• Sla genoeg eten in voor je vriendinnen, ook lekkere dingen voor een nachtelijke snack en een ontbijt.

• Laat iedereen beloven dat geheimen die op het feestje verteld worden, niet worden doorverteld.

HOE LEER JE EEN HOND
EEN POOTJE TE GEVEN

Iedereen kan zijn hond leren zitten of naar hem toe te komen, maar als je hond je een pootje geeft, laat je iedereen zien dat jullie echte maatjes zijn.

Je kunt met de training beginnen als je hond ongeveer twaalf weken is. Wees altijd consequent en geduldig als je traint. Je moet altijd duidelijk zijn en je gezag laten zien, maar je mag nooit schreeuwen en slaan naar je hond.

1. Laat je hond voor je gaan zitten. Beloon hem als hij gehoorzaamt en geef hem iets lekkers.

2. Pak voorzichtig een van zijn voorpoten en houd deze losjes in je hand terwijl je zegt 'geef poot'.

3. Beloon je hond meteen met een lekker koekje en herhaal deze oefening een aantal keren.

4. Steek dan je hand uit en zeg 'geef poot'. Geef je hond de kans om zijn poot op je uitgestoken handpalm te leggen, terwijl je het commando nogmaals herhaalt. Als hij het na een paar seconden niet doet, til je zijn poot op en zeg je 'geef poot'.

5. Blijf volhouden – uiteindelijk zal het lukken.

HOE MAAK JE MET JE HANDEN SCHADUWEN OP DE MUUR

Verbaas vrienden en familie met deze ongelooflijke schaduwen.

Voor een maximaal effect voer je je show op in een donkere kamer met een witte of lichtgekleurde muur. Richt een felle bureaulamp op de muur en houd je handen ervoor. Je kunt de voorstelling ook met z'n tweeën doen.

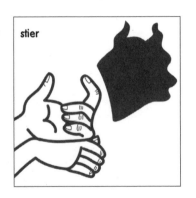

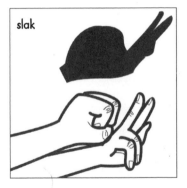

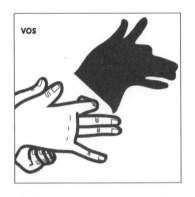

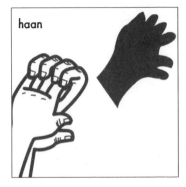

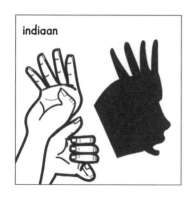

indiaan

olifant

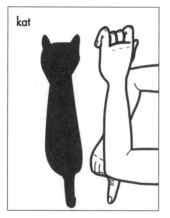

kat

spin

zwaan

HOE ZORG JE ERVOOR DAT JE GYMPEN LEKKER RUIKEN

Dit zijn een paar eenvoudige manieren om pijnlijke momenten te voorkomen waarbij je lekker achteroverleunt, je schoenen uitgooit en iedereen om je heen begint te protesteren. Zo kun je er zeker van zijn dat jouw gympen lekker ruiken.

- Stop een paar ongebruikte theezakjes in elke schoen en laat ze een paar dagen zitten.

- Strooi wat talkpoeder in je gympen.

- Sprenkel een paar druppels etherische olie in je schoen. Probeer eens theeboom-, rozen- of pepermuntolie.

- Vul twee schone sokken met kattenbakvulling (het liefst als je kat die nog niet gebruikt heeft) en doe die een nacht in je gympen.

- Stop een papiertje met wasverzachter in je schoenen, onder de tussenzool.

HOE RED JE DE AARDE

Hier zie je een paar eenvoudige, maar wel effectieve manieren om de aarde te behoeden voor de ondergang door vervuiling, broeikasgassen en opwarming.

- Zorg dat alle lampen in je huis een spaarlamp hebben. Doe altijd de lampen uit als je geen licht nodig hebt.

- Doe spelletjescomputers, tv, dvd- en videospeler en stereo helemaal uit als je ze niet gebruikt. Als het stand-bylampje brandt, gebruikt het apparaat nog altijd elektriciteit.

- Zorg dat jullie gezin alles hergebruikt wat mogelijk is. Kranten, glas, potten, oude kleren, karton, plastic bakken en papier kunnen allemaal gerecycled worden.

- Gooi speelgoed, boeken of cd's die je niet meer wilt hebben, niet weg. Breng ze naar de kringloopwinkel.

- Hergebruik alles wat maar mogelijk is. Neem bijvoorbeeld een oude plastic zak voor de boodschappen. Een waxinelichtje in een oude jampot zorgt voor prachtige tuinverlichting als je een barbecue geeft.

- Bespaar water. Laat de kraan niet lopen terwijl je je tanden poetst. Vul een glas met water om je mond te spoelen. Laat de kraan niet lopen om de borden af te spoelen als je afwast. Gebruik hiervoor liever een bak met schoon water. Overtuig je ouders om een regenton te kopen, zodat je regenwater kunt opvangen. Begiet de planten met dit water.

- Zet, als je het koud hebt, niet de verwarming hoger, maar doe een extra laagje kleren aan.

HOE MAAK JE EEN VLIEGER

Vliegeren is de activiteit bij
uitstek op een winderige dag.

1. Maak de romp van de
vlieger van twee dubbele
bladzijden uit het midden
van een krant op
tabloidformaat. Plak de onderkant
van een dubbele pagina met
plakband aan de bovenkant
van de andere, zodat er een
grote rechthoek ontstaat.

2. Om je vlieger vorm te geven, meet je met een liniaal vanaf
elke hoek 18 cm en geef je de juiste afstand aan met een
potlood. Verbind de hoeken zoals in de tekening hieronder
staat aangegeven. Knip de vlieger langs de lijnen uit.

Verbind de bladzijden hier.

18cm   18cm

18cm   18cm

18cm   18cm

3. Verstevig de vlieger met plakband. Plak het langs alle zijden en horizontaal en verticaal overdwars, zoals op deze afbeelding.

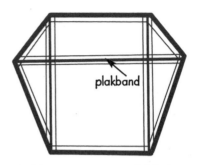

4. Neem nog twee dubbele bladzijden van de krant en maak twee stevige buizen – begin in de ene hoek en rol diagonaal tot je bij de andere hoek komt. Plak de buizen op de vlieger zoals je hier ziet.

5. Neem 1,5 m touw en plak één kant in de linkerbovenhoek en de andere kant in de rechterbovenhoek. Knoop een stuk touw van 20 m in het midden van dit touw als vliegertouw.

6. Neem nu nog een stuk touw van 1,5 m en plak dit aan de twee onderste hoeken van je vlieger. Hieraan maak je de staart vast. Deze kun je maken van gekleurd papier of lint.

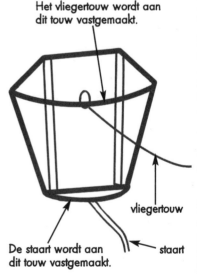

19

HOE SCHRIJF JE
EEN PRIJSWINNENDE HAIKU

Haiku is de naam van een bepaalde dichtvorm uit Japan.
Het woord komt van het Japanse *haikai no u*, wat 'vrolijk
vers' betekent.

Een haiku bestaat altijd uit drie regels. De eerste regel van
een haiku heeft vijf 'lettergrepen'. Woorden worden
opgedeeld in klankdelen, die we lettergrepen noemen. Het
woord 'kat' heeft bijvoorbeeld één lettergreep, maar kro-ko-
dil heeft er drie. In de eerste regel van een haiku zie je
meestal wat het onderwerp van het gedicht is (waar de
haiku over gaat). In de tweede regel, die zeven lettergrepen
heeft, lees je vaak wat het onderwerp van de haiku doet.
De laatste regel bestaat uit vijf lettergrepen en leidt naar een
soort climax.

*Een Haiku, wat nu
zal ik meegaan in de stroom?
Liever niet, zo dom*

Hier zie je twee voorbeelden:

> Door zomerregens
> zijn de kraanvogelpoten
> korter geworden

> Buiten regent het
> druppels van helder kristal
> binnen is het koud

HOE LEUK JE EEN T-SHIRT OP

Gooi dat oude, saaie T-shirt dat je toch niet meer draagt, niet weg, maar probeer er wat van te maken met een van deze technieken.

• Maak sjablonen met vormen of letters die je uit een stuk karton knipt. Plak het sjabloon op het T-shirt en ga eroverheen met textielverf. Laat de verf helemaal opdrogen voordat je het sjabloon eraf haalt. Voor een apart effect kun je ook verf over het sjabloon heen druppelen of spatten.

• Maak een T-shirt leuker door er allerlei verschillende knopen op te zetten. Begin met het schikken van de knopen op het T-shirt – zodat je ziet welk patroon het leukste is. Een brede rand van knopen langs de hals ziet er leuk uit. Vervolgens naai je de knopen op het T-shirt met naald en draad of je smokkelt door ze erop te lijmen met textiellijm.

• Maak met stukjes stof plaatjes of vormen op je T-shirt. Zet ze vast met textiellijm. Door aan de randen wat textielverf te smeren, blijft de stof beter aan het T-shirt zitten.

• Maak een speciaal T-shirt door het te 'knoopverven' in je favoriete kleur. Knoopverven is een enorme knoeierij, dus dat kun je het beste buiten doen. Draag rubber handschoenen en oude kleren voor het geval dat je jezelf natspat (je zult begrijpen dat de verf er lastig uit te wassen is).

Neem voor het beste resultaat een T-shirt van 100% katoen. Roer in een emmer een pakje textielverf in poedervorm met een halve liter warm water. Voeg vijf eetlepels zout toe. Laat het mengsel afkoelen tot kamertemperatuur. Knoop een lang touw om de onderkant van het T-shirt en frommel het op terwijl je het touw om het T-shirt wikkelt. Leg een knoop in het touw, zodat het strak blijft zitten. Dompel het T-shirt 20 minuten in het verfbad. Laat het goed drogen voordat je het touw losmaakt. Spoel het T-shirt goed uit.

• Als je alles hebt geprobeerd en je T-shirt is gewoon te oud en te saai om er nog iets van te maken, poets er dan de auto van de buurman mee totdat je genoeg geld verdiend hebt om een nieuw T-shirt te kopen.

HOE GA JE OM MET PESTKOPPEN

Bijna iedereen is in zijn leven wel eens gepest. Als je wordt gepest is het nooit jouw schuld – de pester is degene met een probleem. Toch is het wel belangrijk dat je er iets aan doet.

Ga naar een leraar, een ouder of iemand anders die je vertrouwt en vertel precies wat er aan de hand is. De ander hoeft niet meteen in actie te komen of met de pester te gaan praten. Door erover te praten zul je je al beter voelen en de ander kan je advies geven en je helpen voor jezelf op te komen. De meeste scholen treden streng op tegen pesten en je leraren weten hoe ze met pesten moeten omgaan.

Probeer er zelfverzekerd uit te zien. Een pester is vaak een lafaard die een slachtoffer kiest, omdat hij denkt dat die ander zwakker is dan hijzelf. Sta rechtop en houd je hoofd omhoog als je door de school loopt. Spreek duidelijk en kijk degene aan tegen wie je praat.

Probeer gedrag dat bedoeld is om je bang te maken of je rot te doen voelen, te negeren. Als je de pester laat merken dat je je er niets van aantrekt, zal hij er snel genoeg van krijgen en je met rust laten.

Bedenk van tevoren hoe je in een lastige situatie zult reageren. Oefen dingen die je kunt zeggen als iemand je uitscheldt. Huilen of schreeuwen maakt het meestal erger, terwijl een slimme, terloopse, maar niet gemene of sarcastische opmerking je zelfverzekerd doet lijken. Probeer altijd rustig en redelijk te blijven.

Pesters zullen niet snel iemand kiezen die omringd is door een groep vrienden. Kijk om je heen naar anderen die vaak alleen zijn en probeer daarmee in contact te komen. Op deze manier maak je nieuwe vrienden en houd je de pesters op afstand.

Niemand verdient het om gepest te worden. Geef nooit toe aan een pester, moedig hem of haar niet aan en ga nooit ofte nimmer zelf pesten.

HOE LAAT JE EEN KIKKER HEEL VER SPRINGEN

Volg de onderstaande stappen en je hebt een kikker die, met wat oefening, sprongen maakt van 2 m ver en 60 cm hoog.
Laat je vrienden er ook een maken, zodat je een wedstrijd kunt houden om te bewijzen dat jij de beste bent.

1. Knip uit een oude, kartonnen verpakking een rechthoek van 8 x 5 cm.

2. Vouw hoek A op hoek D en weer terug. Doe hetzelfde met hoek B en C, zodat je een kruis krijgt op twee derde deel van de rechthoek.

3. Vouw vervolgens het karton over de lijn van E naar F en weer terug, zoals je op de afbeelding ziet.

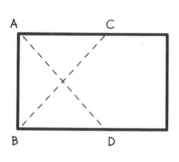

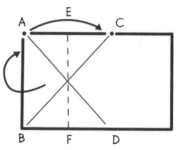

24

4. Druk het punt waar de drie vouwlijnen samenkomen naar beneden. Het karton zal dan omhoog veren.

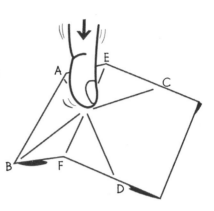

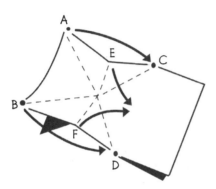

5. Maak alle vouwen scherp, druk de punten E en F naar binnen en vouw de bovenkant (A/B) naar de punten C en D.

6. Je vouwwerk ziet er nu zo uit. Vouw de hoeken A en B zoals aangegeven op dit plaatje.

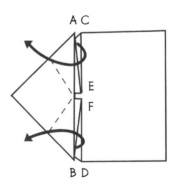

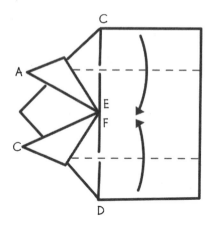

7. Vouw de punten C en D zoals je hier ziet.

8. Maak een Z-vormige plooi (dus geen scherpe vouw) door halverwege het lijf van de kikker een vouw te maken. Doe hetzelfde op een kwart van het lijf.

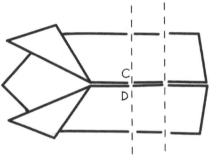

9. Druk, om je kikker te laten springen, op het einde van zijn rug en laat je vinger er heel snel afglijden, zodat de kikker omhoogkomt.

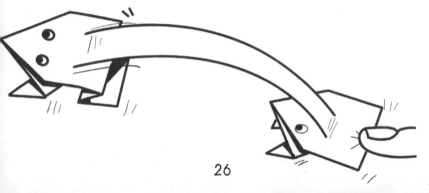

HOE KWEEK JE JE EIGEN TOMATEN

Ze zeggen dat groenten die je zelf gekweekt hebt, lekkerder smaken. Probeer eens om wat heerlijke kerstomaatjes te kweken. De beste tijd van het jaar om ze te zaaien, is eind april als de winter voorbij is.

1. Je kunt tomatenzaadjes kopen, maar je kunt ze ook uit een tomaat scheppen. Spoel ze af met water en laat ze drogen.

2. Vul lege yoghurtbakjes met wat potgrond. Leg een tomatenzaadje in het midden van elk potje en bedek het met een beetje aarde. Geef ze een beetje water.

3. Merk de bakjes duidelijk en zet ze op een zonnige plek in de vensterbank. Controleer ze elke dag en geef ze water als de grond droog aanvoelt onder je vingers. Zorg dat je ze niet te veel water geeft. Na ongeveer een week zul je iets zien groeien.

4. Na ongeveer vier weken zijn de scheuten kleine plantjes geworden. Haal ze voorzichtig uit de potten. Neem daarbij zo veel mogelijk wortels mee en pas op dat je de plantjes niet beschadigt. Zet ze voorzichtig in bloempotten met potgrond.

5. Houd je tomatenplanten goed in de gaten. Geef ze water wanneer dat nodig is. Na een paar weken zie je bloemen verschijnen, die vervolgens afvallen. Daarna blijven er kleine, groene tomaatjes over.

6. Als de tomaten helder rood zijn en een beetje zacht aanvoelen, zijn ze rijp en kun je ze eten.

HOE GA JE OP REIS
MET MAAR ÉÉN TAS

De meeste (wereld)reizigers worstelen nooit met ladingen tassen. Slim inpakken is het geheim om lekker ontspannen over vliegvelden en stations te spurten met slechts één elegante tas.Ga eerst op zoek naar de goede tas. Hij moet klein genoeg zijn om in het vliegtuig als handbagage mee te mogen nemen (een goede tassenzaak weet deze maten), licht, makkelijk te dragen en apart.

Maak een lijstje van alles wat je mee wilt nemen. Bekijk het goed en bedenk of er iets is dat je kunt missen. Leg alle noodzakelijke spullen op je bed en streep ze af van je lijst. Neem je lijstje mee op vakantie, zodat je niets vergeet als je weer naar huis gaat.

Kies kleding die je kunt combineren. Rol je kleren om iets anders heen. Begin met die dingen die het minst kreukelen en rol daar dan weer iets anders omheen.

Doe toiletartikelen in kleine flesjes en stop alles wat kan lekken in een plastic zak.

Verpak je ondergoed in je schoenen – dit spaart ruimte en voorkomt dat je schoenen platgedrukt worden.

Vouw je kleren netjes op en doe ze in de tas. Vul de gaten op met sokken.

Draag onderweg de kleren die de meeste ruimte innemen.

HOE DOE JE
DE PERFECTE HANDSTAND

1. Zoek een plek waar de grond vlak en gelijk is en waar geen meubels of andere voorwerpen zijn waar je je aan kunt bezeren als je mocht vallen. Een grasveld is prima, omdat de grond daar zachter is.

2. Ga rechtop staan en strek je armen boven je hoofd.

3. Zwaai je armen naar beneden naar de grond voor je en buig je lichaam mee.

4. Als je handen de grond raken, moet je je gewicht van je voeten naar je handen verplaatsen. Gooi je voeten één voor één omhoog. Dit is het moeilijkste deel van de handstand – als je je voeten niet hoog genoeg opgooit, val je terug op de grond, maar gooi je ze te hoog, dan duikel je over de kop.

Als je het lastig vindt om je benen omhoog te krijgen, oefen dan tegen een muur. Of vraag een vriendin om je kuiten vast te pakken om je te ondersteunen als je omhoogkomt.

5. Schuif een beetje met je handen tot je goed in evenwicht bent. In het begin kun je je knieën een beetje buigen, zodat je voeten boven je hoofd hangen. Als dit goed gaat, kun je proberen je benen steeds verder te strekken.

HOE WORD JE
EEN FANTASTISCHE GOOCHELAAR

Elke grote goochelaar weet dat het geheim van succes zit in een grondige voorbereiding. Hier een paar gouden regels voor een listig en foutloos optreden.

Klaar om het podium op te gaan…

• Oefen elke truc die je wilt gaan opvoeren steeds maar weer totdat je het slapend kunt. Repeteer voor de spiegel, zodat je kunt zien wat je publiek ziet.

• Ratel het verhaal af dat je wilt vertellen terwijl je je truc uitvoert. Een goed, vermakelijk verhaal leidt de aandacht van je publiek genoeg af, zodat ze zich zullen afvragen hoe je truc precies werkt.

• Voer dezelfde truc nooit twee keer voor hetzelfde publiek op, zelfs al smeken ze het je. Onthul nooit het geheim van een truc.

• Zet van tevoren stoelen klaar voor je publiek – bij veel trucs is het belangrijk dat ze je van voren zien, zodat niemand weet wat je achter je rug doet.

• Leen zo mogelijk voorwerpen, zoals een munt of een pen, van je publiek – zo weet iedereen dat ze niet vals zijn.

HOE GEDRAAG JE JE ALS
EEN BEROEMDHEID

Omhul je met een waas van geheimzinnigheid door te doen
alsof je de geweldigste beroemdheid van de stad bent.

- Koop een enorme zonnebril en draag die altijd,
  ook 's avonds en binnenshuis.

- Zeg iets als 'Geen foto's' en 'Ik zou willen dat mijn fans me
  met rust lieten. Ik heb tijd voor mezelf nodig'.

- Zorg dat je er altijd even verzorgd uitziet, al ga je alleen
  maar even naar de supermarkt.

- Zorg dat er altijd een paar mensen zijn die je overal volgen
  (en uiteraard een paar passen achter je lopen).

- Kijk altijd en overal verveeld of pruilend, ook als je iets
  leuk vindt.

- Bestel altijd iets dat niet op het menu staat en stuur het terug,
  ook al is het heerlijk.

- Oefen in het zetten van je handtekening. Je handtekening
  moet zwierig en absoluut onleesbaar zijn.

- Maak een lijst met onredelijke eisen voor je ouders. Zet
  daarop dingen als 'In elk drankje dat ik krijg, moeten beslist
  precies zes ijsblokjes zitten — niet meer en niet minder.'

- Vraag je vader om een chauffeurspet op te zetten
  als hij je ergens naartoe brengt.

- Begin alvast met het schrijven van je autobiografie.
  Die moet worden gepubliceerd voordat je twintig bent.

HOE MAAK JE JE EIGEN LUXEBADSCHUIM

Hier heb je een snelle en gemakkelijke manier om een lekkere badschuim te maken, waar je jezelf op kunt trakteren bij een welverdiende verwensessie. Je kunt ook wat in een mooie glazen fles doen en cadeau geven aan je beste vriendin.

1. Meng in een schone kom een halve liter heldere of licht gekleurde shampoo met 750 ml water en twee theelepels zout. Roer het mengsel rustig door tot het iets dikker is.

2. Doe er een beetje rode voedselkleurstof bij en roer opnieuw. Voeg dan net zo lang voedselkleurstof toe tot het mengsel prachtig roze van kleur is.

3. Voeg tien druppels etherische olie toe voor een lekker geurtje. Rozen, lavendel, cananga, sandelhout, marjolein, mirre, rozenhout en kamille hebben ontspannende eigenschappen en geuren heerlijk.

4. Schenk het badschuim in een fles en sluit die af.

32

HOE BEÏNVLOED JE HET WEER

Wie zal je geloven als je zegt dat je zo machtig bent dat je het weer kunt beheersen? Laat ze gewoon maar eens zien wie verantwoordelijk is voor het weer door je eigen regenboog of bliksem te maken.

Regenboog. Alles wat je nodig hebt is een zonnige dag, een glas dat bijna tot de rand is gevuld met water en een vel wit papier.

Zet het glas zo dat het half op en half over de rand van een tafel staat. Zorg dat het zonlicht direct door het water op de grond valt.

Leg het papier op de grond waar de regenboog wordt gevormd door het licht dat door het glas valt.

Bliksem. Trek een wollen trui aan. Blaas een gewone ballon op en zoek in huis naar een groot metalen oppervlak (bijvoorbeeld de deur van de koelkast of de zijkant van een archiefkast).

Doe het licht uit zodat het zo donker mogelijk wordt in de kamer. Wrijf de ballon een keer of tien langs je wollen trui. Laat hem dan vlak langs het metalen oppervlak gaan. Je ziet een flits of een vonk, net als het weerlicht, tussen de ballon en het metalen oppervlak gaan.

Het effect ontstaat omdat je statische elektriciteit hebt gemaakt op de ballon, die ontsnapt naar het metalen oppervlak.

HOE MAAK JE EEN VRIENDSCHAPSARMBANDJE

Dit zijn geweldige cadeautjes om te ruilen met je vriendinnen. Begin met vier of vijf draden. Als je eenmaal de slag te pakken hebt, kun je allerlei verschillende draadjes nemen om een heel kleurig, bijzonder armbandje te maken.

 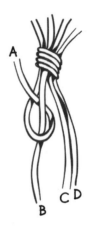

1. Kies vier draden wol of borduurgaren in verschillende kleuren, allemaal ongeveer 60 cm lang. Bind ze met een knoopje bovenaan aan elkaar. Plak het deel met de knoop ergens aan vast – bijvoorbeeld de rug van een stoel – zodat het armbandje vastzit als je eraan werkt.

2. Neem de eerste draad van links (draad A) en sla die over en rond draad B zodat er een knoopje ontstaat, zoals je hierboven ziet. Houd draad B zo dat deze strak staat als je ermee werkt en zorg dat de knoop stevig zit. Herhaal dit voor een dubbele knoop.

3. Werk verder met draad A, maak een dubbele knoop rond draad C en tot slot rond D. Als je de eerste rij gemaakt hebt, zal draad A rechts zitten en draad B (de volgende draad waarmee je aan het werk gaat) links.

4. Herhaal stappen 2 en 3 met draad B, daarna met C en dan met D. Als je armbandje lang genoeg is voor je pols, knoop je de uiteinden samen in een stevige knoop. Om het te kunnen dragen, knoop je de twee uiteinden samen rond je pols.

HOE VERBETER JE JE GEHEUGEN

De beste manier om je geheugen te verbeteren, is het trainen van je hersenen. Probeer elke dag een paar puzzels te maken – in de krant staat altijd wel een puzzelpagina, maar er zijn ook allerlei puzzelboekjes te koop.

Vaardigheden aanleren is een prima manier om je hersenen in vorm te houden. Probeer steeds iets nieuws, leer bijvoorbeeld hoe je een muziekinstrument bespeelt of leer breien.

Probeer je waarnemingsvermogen te verbeteren. Vraag iemand om vijftien kleine voorwerpen uit het hele huis te verzamelen en zet die op een blad. Kijk er dertig seconden naar, ga dan weg en probeer op te schrijven wat je je nog herinnert. Of vraag een vriendin om een voorwerp weg te halen, terwijl jij je ogen dichtdoet. Probeer te zien wat er nu ontbreekt.

Een van de gemakkelijkste manieren om iets te onthouden, is opzeggen. Hoe vaker je dit oefent, des temeer zul je kunnen onthouden. Probeer elke week een nieuw gedicht te leren. Lees het een paar keer hardop voor totdat je het uit je hoofd kunt opzeggen.

Ezelsbruggetjes, een manier om je iets te herinneren, zijn ook handig. Het gaat erom dat je de informatie die je moet onthouden met een eenvoudig woord of een eenvoudige zin in verband brengt. Je kunt bijvoorbeeld het woord ROGGBIV gebruiken om de kleuren van de regenboog te weten: Rood, Oranje, Geel, Groen, Blauw, Indigo, Violet.

Deze zinnetjes kunnen je helpen om de volgorde van de windrichtingen te onthouden: noorden, oosten, zuiden, westen. Ze staan altijd met de wijzers van de klok mee:

Nooit Opstaan Zonder Wekker
Nooit Oorlog Zonder Wapens
Nooit Overstroming Zonder Water
Nooit Onweer Zonder Wolken

HOE BLAAS JE
DE GROOTSTE KAUWGOMBEL

Neem een stukje kauwgom en kauw er goed op. Hoe groter het stukje kauwgom is, des te groter de bel die je kunt blazen. Zorg dat het zacht en soepel is.

Druk met je tong de kauwgom glad over de achterkant van je voorste boven- en ondertanden.

Druk nu met het puntje van je tong het midden van het kauwgom tussen je tanden. Sluit je lippen rond de bult in de kauwgom. Blaas dan in de bult kauwgom en kijk hoe groot de bel wordt voordat hij knapt en de kauwgom op je gezicht en in je haren zit!

HOE OVERLEEF JE
IN EEN GRIEZELFILM

- Als het gebeurt dat je een monster hebt gedood, moet je er nooit naartoe lopen om te zien of het echt dood is – hij kan je zomaar aanvallen.

- Als je op de vlucht bent voor een monster, houd er dan rekening mee dat je minstens twee keer zult vallen.

- Ga nooit in op uitnodigingen van onbekenden in een afgelegen gebied die geen contact hebben met de samenleving.

- Als je midden in de nacht autopech krijgt, ga dan niet naar een verlaten huis om hulp te vragen.

- Ga niet naar de kelder – zeker niet als het licht zojuist uitgevallen is en de telefoon niet werkt.

- Als je afspraakje giftanden heeft, ga dan naar huis.

- Als je afspraakje rottend groen vlees heeft en zich meer gedraagt als een wandelend lijk, ga dan naar huis.

- Zeg nooit dat je zo terugkomt, want je komt niet terug.

HOE KUN JE ECHT HARD FLUITEN

Op je vingers fluiten is een goede manier om iemands aandacht te vragen – of iemand echt te ergeren.

1. Was je handen. Leg de top van je duim en je wijsvinger op elkaar zodat ze een O vormen.

2. Doe je duim en je wijsvinger in je mond tot het eerste kootje. Duw de nagels van beide vingers naar het midden van je tong.

3. Sluit de lippen stevig rond je duim en je wijsvinger, zodat de lucht alleen maar kan ontsnappen door het gat ertussen.

4. Druk je tong tegen de achterkant van je ondertanden.

5. Blaas aanhoudend uit, waarbij je je tong gebruikt om de lucht door het gat tussen je duim en je wijsvinger te sturen. Duw met je duim en je wijsvinger naar beneden tegen je onderlip.

6. Blijf oefenen door steeds te schuiven met je duim, je wijsvinger, je lippen en je tong totdat je een fluit hoort.

HOE WORD JE
EEN NATUURLIJKE SCHOONHEID

Je kunt ingrediënten uit de keuken gebruiken om je huid en je
haar er fris en gezond uit te laten zien.

• **Huidschilfers**. Roer een eetlepel yoghurt, een scheutje honing
en een theelepel kristalsuiker door elkaar. Wrijf het mengsel
zachtjes over je gezicht om de schilfers te verwijderen en
je huid te laten gloeien. Spoel het goed af.

• **Gezichtsmasker**. Als je een droge huid hebt, kun je een
kwart avocado vermengen met twee eetlepels honing en een
eierdooier. Smeer dit over je gezicht (niet in je ogen) en laat
dit 15 minuten intrekken. Spoel het dan af met warm water.

• **Ogen**. Om de donkere randen rond je ogen kwijt te raken,
snijd je een verse vijg doormidden en leg je de helften 15
minuten op je ogen terwijl je op je bed ligt en je ontspant.

Voor vermoeide ogen kun je het verkoelende effect van twee
plakjes komkommer gebruiken, die je op je ogen legt. Om je
ogen te kalmeren, week je katoenen wattenschijfjes in melk,
rozenwater of aloë-verasap en leg je die op je oogleden.

• **Crèmespoeling**. Voor gladde haren klop je een eierdooier
in een kom en roer je er een theelepel olijfolie doorheen.
Voeg dan een kopje warm water toe. Nadat je je haren hebt
gewassen, verdeel je het mengsel over je haren en laat je dit
een paar minuten intrekken. Spoel het dan uit. Voor glanzende
lokken kun je je haar eens per maand na het wassen spoelen
met bier. Masseer het goed in en spoel het daarna uit.

Top tip: Gebruik geen voedsel waar je allergisch voor bent.

HOE MAAK JE EEN GEBRANDSCHILDERD RAAM

Met deze aanwijzingen kun je een prachtig 'gebrandschilderd' raam maken.

1. Neem twee stukjes zwart stevig papier en twee stukjes vetvrij papier van allemaal hetzelfde formaat. Kies een eenvoudig plaatje, bijvoorbeeld een blad of een dolfijn. Schets de vorm op een van de stukjes zwart papier.

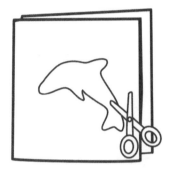

2. Leg de twee stukje papier netjes naast elkaar en knip de vorm uit, maar laat wel een randje rondom vrij.

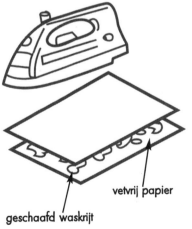

geschaafd waskrijt

vetvrij papier

3. Neem waskrijt in kleuren waarmee je je tekening wilt inkleuren. Schaaf het krijt met een scherp mes.

4. Spreid het schaafsel uit op een vel vetvrij papier. Leg daarop het andere vel en ga er met een warme strijkbout overheen.

5. Om het raam in elkaar te zetten, leg je een stukje van het zwarte papier plat op de tafel en daarop lijm je het dubbele stuk vetvrije papier. Lijm daarop dan weer het andere stukje zwart papier, waarbij je het vetvrije papier precies tussen de twee stukje zwart papier sluit. Hang je werkje aan het raam zodat het licht erdoorheen valt.

HOE NEEM JE
EEN SPECTACULAIRE DUIK

Voorbereiding. Klim naar de hoogste duikplank van het zwembad. Ga aan het begin van de duikplank rechtop staan met je handen langs je zijden. Loop naar het eind van de duikplank. Als je daar bent, draai je je om en ga je met je rug naar het water staan.

Het is belangrijk dat je heel rustig en vol zelfvertrouwen kijkt. Ga niet staan schudden, alsof je bang bent omdat het zo hoog is.

Ga op de ballen van je voet staan en neem kleine stapjes achteruit tot je hielen over de rand reiken en je tenen op het uiterste randje staan.

Springen. Strek je armen boven je hoofd en zorg dat je duimen elkaar raken. Buig dan je knieën, laat je armen langs je zijden zakken en duw jezelf naar beneden op de plank. Spring op en weg van het eind van de plank, zwaai je armen naar voren, omhoog en boven je hoofd als je springt.

Hurken. Als je omhooggaat, til je je benen op zodat ze recht omhoog wijzen. Buig dan je lichaam naar voren vanaf je middel totdat je gevouwen bent. Rek met je vingers naar je tenen.

hurken

Spreiden. Als je omhooggaat, til je je benen op zodat ze recht omhoog wijzen. Buig dan je lichaam naar voren vanaf je middel totdat je gevouwen bent. Rek met je vingers naar je tenen.

het water in

Het water in. Als je bij het water komt, moet je lichaam helemaal recht zijn, zodat je zo weinig mogelijk spat.

HOE MAAK JE EEN MUIS VAN SUIKER

Muizen van suiker zijn heerlijk en heel makkelijk om te maken. Als je ze niet allemaal zelf kunt opeten, stop er dan een paar in een mooi doosje en geef ze aan een vriend(in).

1. Scheid het wit van een ei van de dooier. Breek daarvoor eerst een ei voorzichtig boven een beker. Giet de eierdooier van de ene helft van de eierschaal in de andere, zodat het eiwit in de beker druppelt. Ga door tot alleen de dooier nog in de eierschaal ligt (misschien moet je dit samen met iemand doen, want het is best lastig). Klop het eiwit met een mixer tot het schuimig is, maar niet te stijf.

2. Hang een zeef boven een kom, doe hierin ongeveer 450 gram poedersuiker, zeef dit en meng het door het eiwit. Voeg druppels citroensap toe tot het mengsel zacht en smeuïg is.

3. Doe een beetje van het mengsel in een ander kommetje, voeg hier met druppels tegelijk wat rode voedselkleurstof aan toe tot het mengsel roze is geworden. Dit is voor de oortjes.

4. Neem steeds beetjes van het witte mengsel en rol en kneed dat uit tot de vorm van een muis.

5. Neem kleine beetjes van het roze mengsel om de oren te maken. Als je eetbare zilverpilletjes in het mengsel duwt, is dat

geweldig als neus en ogen. Je kunt ook een stukje touw in het lijfje duwen als staart.

6. Zet je muizen op een bakblik of snijplank op een koude plaats en laat ze een paar uur opstijven.

HOE ZEG JE IETS ZINNIGS DOOR ONZIN UIT TE KRAMEN

'Oxymoron' heet de stijlfiguur waar twee woorden of zinnen die elkaar lijken tegen te spreken aan elkaar gelegd worden. Oxymorons slaan nergens op en zijn volkomen onzinnig, maar ideaal om je vrienden te imponeren. Hier heb je er een paar: *Knap stom*

• mooi lelijk • oorverdovende stilte •
blijvende verandering • exacte schatting •
nieuwe klassieker • vloeibaar gas • ervaren
beginneling • samen alleen

HOE HERKEN JE EEN GENIE

Vraag een vriendin om het aantal F'en
in de volgende tekst te tellen.

FEMKE VOND HET HEEL TOF
DAT FRITS HAD GEVRAAGD
OF ZE MEE WILDE GAAN
NAAR DE FILM OF DE DISCO.

In deze zin staan zes F'en, maar de meeste mensen tellen er maar vier. Dat komt omdat de hersenen van de meeste mensen niet zien dat het woord OF ook een F bevat.

Iedereen die zes F'en telt, is een genie.

HOE ONTKOM JE AAN ZOMBIES

Een zombie wordt ook wel een 'levend lijk' genoemd, omdat het gaat om dode mensen die op mysterieuze wijze weer tot leven gekomen zijn. Het is vrij makkelijk om zombies te zien, omdat, hoewel ze heel erg op gewone mensen lijken, hun lichaam groen is doordat ze aan het ontbinden zijn. Ze strompelen al kreunend wat rond alsof ze bedwelmd of dronken zijn. Het angstwekkende van zombies is echter dat ze je voortdurend achtervolgen en nauwelijks te stuiten zijn.

Als je op de televisie of de radio hoort dat de zombies aanvallen, moet je heel snel reageren. Zombies vermeerderen zich razendsnel. Als een zombie iemand bijt of krabt, verandert het slachtoffer heel snel ook in een zombie. Je kunt er niet van genezen: eens een zombie, altijd een zombie. Het is dus heel belangrijk dat je jezelf zo snel mogelijk in veiligheid brengt.

Luister eerst goed naar het nieuws om te weten waar de zombies zich precies bevinden en welke plaatsen minder gevaarlijk zijn. Kies een veilige schuilplaats. Je moet zorgen voor heel veel eten en water. Een supermarkt is daarom een ideale plek. Doe alle ramen en deuren dicht en stapel er zware voorwerpen tegenaan voor extra veiligheid. Zorg in elk geval dat er een nooduitgang is voor het geval de zombies toch het gebouw binnenkomen.

Als je je buiten moet wagen voor bevoorrading, zorg dan voor bijtveilige kleding. Een leren motorpak is prima. Heb je dat niet, trek dan heel veel laagjes over elkaar aan.

Als je midden in een groep levende lijken staat, doe dan alsof je ook een levend lijk bent. Laat je hoofd naar één kant zakken, kwijl en kreun. Houd je armen recht voor je uit en staar naar voren. Als ze je zien, moet je hollen. Zombies bewegen zich traag en zijn dom. Als je regelmatig van richting verandert, schreeuwt, allerlei schijnbewegingen maakt en stoelen omgooit, zullen ze helemaal in de war raken.

Verspil geen energie met vechten, want zombies kun je niet makkelijk vermoorden (voornamelijk omdat ze al dood zijn). Je kunt ze vernietigen door hun hoofd af te slaan of hun hersenen te pletten. Sommige zombies gaan dood als je hun lijf verbrandt, maar afzonderlijke lichaamsdelen blijven wel eens bewegen ook al zijn ze afgesneden.

Als je geen keus hebt en wel met een zombie moet vechten, controleer je lichaam dan naderhand zorgvuldig op beten.

HOE WORD JE
EEN WISKUNDIG WONDER

Vraag je vriendinnen om dit eenvoudige sommetje te proberen. Lees het zoals het hieronder staat. Je vrienden mogen geen papier en pen of een rekenmachine gebruiken – ze moeten het uit het hoofd uitrekenen.

> Neem 1000 en tel er 40 bij op.
>
> Tel er nog eens 1000 bij op.
>
> Tel er 30 bij op.
>
> Tel er 1000 bij op.
>
> Tel er 20 bij op.
>
> Tel er nog eens 1000 bij.
>
> Tel er tot slot 10 bij op.
>
> Wat is de uitkomst?

Je vriendinnen zullen waarschijnlijk zeggen dat het antwoord 5000 is.

Gefeliciteerd, je bent een wiskundig wonder, omdat dit antwoord fout is. Het juiste antwoord is 4100.

Als je vriendinnen dat niet geloven, laat ze de som dan nog eens maken met een rekenmachine, terwijl jij de opdracht hardop voorleest.

HOE MAAK JE
EEN VOEDERBOL VOOR VOGELS

In de wintermaanden is het voor vogels lastig om voedsel te vinden. Help ze een handje met deze gemakkelijk te maken voederbol, die je aan een boomtak of het balkon kunt hangen. Je kunt dan gaan zitten kijken hoe allerlei vogels je tuin bezoeken.

Zoek een grote, droge dennenappel die al open is, spoel hem af onder de kraan en laat hem drogen. Als hij droog is, smeer je de hele dennenappel met een lepel in met pindakaas, zodat alle holten gevuld zijn.

Spreid wat vogelvoer uit op een platte ondergrond en rol de dennenappel erdoorheen. Druk hem zo stevig mogelijk aan, zodat de zaden aan de pindakaas blijven kleven en er niet af vallen. Zorg dat alle pindakaas is bedekt met zaden.

Bind een lang touw aan het steeltje van de dennenappel en hang hem zo op dat loerende katten er niet bij kunnen.

HOE LEES JE IEMAND DE HAND

De kunst om iemands hand te lezen om zo zijn toekomst te kunnen voorspellen en zijn karakter te onthullen, wordt handlijnkunde of chiromantie genoemd. Als je dat kunt, ben je gegarandeerd het middelpunt van elk feestje.

Deze tekening laat de grote lijnen zien die je op de handpalm ziet. Niet iedereen heeft elke lijn en sommige zijn misschien beter te zien of langer bij de ene persoon dan bij de andere. Kijk goed naar de rechterhand van je vriendin en gebruik dan de volgende hints om de toekomst te voorspellen.

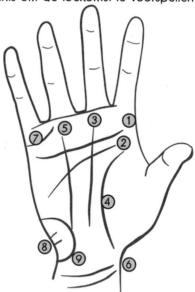

① **Hartlijn**. Hoe langer deze lijn is, des te hartelijker zal je vriendin zijn. Als de lijn vrij recht gaat, is ze romantisch.

② **Hoofdlijn**. Deze lijn zegt iets over het karakter van je vriendin. Als hij gebogen is, is ze spontaan, maar als hij recht gaat, is ze praktisch en zal ze niet haar hart laten spreken voor haar hoofd. Hoe dieper de lijn des te fantasierijker de persoon.

③ **Lotslijn**. Niet iedereen heeft deze lijn, maar wel mensen die betrouwbaar en doelbewust zijn.

④ **Levenslijn**. Een lange levenslijn betekent dat je vriendin opgewekt is en geniet van het leven. Een kortere lijn betekent dat haar gezondheid goed is. Als de lijn vaag is, is ze besluiteloos.

⑤ **Zonnelijn**. Een korte zonnelijn geeft aan dat de toekomst succesvol zal zijn, en een lange voorspelt rijkdom en geluk. Als de lijn eindigt in een soort ster zal je vriendin waarschijnlijk beroemd worden.

⑥ **Gelukslijn**. Een ononderbroken gelukslijn betekent dertig jaar lang voorspoed. Onderbrekingen in de lijn wijzen op minder voorspoedige fasen in het leven.

⑦ **Relatielijn**. Een lange, horizontale relatielijn betekent dat je vriendin een lange, gelukkige relatie zal hebben. Meer dan één lijn voorspelt dat ze gedurende haar leven verschillende relaties zal hebben. Als de lijn omhoog krult, zullen haar relaties geslaagd zijn. Een neerwaartse kromme lijn wijst op een relatie die eindigt met problemen.

⑧ **Reislijnen**. Hoe meer van deze lijnen je vriendin heeft des temeer houdt ze van reizen.

⑨ **De intuïtielijn**. Iemand met deze lijn vertrouwt meestal op zijn gevoel.

HOE MAAK JE EEN POMPON

Pompons zijn ongelooflijk makkelijk te maken en je kunt ze gebruiken om van alles en nog wat te versieren. Verfraai je kleren ermee door ze op je sjaal of je muts te naaien of hang ze in de kerstboom. Wol is er in heel veel verschillende kleuren en soorten, dus wees creatief…

Om een pompon te maken heb je wol, een schaar en, voor de mal, een stuk stevig karton nodig.

1. Teken twee dezelfde cirkels op het karton (trek hiervoor een rond voorwerp om, bijvoorbeeld een trommel). Hoe groter de cirkels, des te groter je pompon zal zijn. Teken een kleinere cirkel in elk van de grote cirkels. Knip eerst de grote en dan de kleine cirkels uit, zodat je twee ringvormige stukken karton hebt.

2. Knip de wol die je wilt gebruiken in stukken van 1 m.

3. Leg de twee ringen op elkaar en steek een kant van de wol tussen de twee kartonnen ringen. Wikkel het andere eind van de wol om de ring en door het gat.

4. Als alle wol op is, neem je een nieuw stuk. Je hoeft het niet aan het vorige stuk vast te knopen, maar zorg wel dat het einde tegen de buitenste rand van de ring ligt.

5. Ga door tot het gat van de ringen zo klein is dat je de wol er niet meer door kunt krijgen.

6. Steek één punt van de schaar door de wol en tussen de twee stukken karton. Knip alle wol langs de buitenkant van de ring rondom door.

7. Neem een nieuwe draad en haal deze tussen de ringen door. Maak een stevige knoop, zodat de draadjes tussen de ringen goed vastzitten. Scheur de ringen eraf en rul je pompon op.

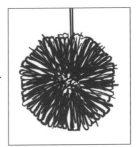

HOE WIN JE
EEN WEDSTRIJDJE 'STAREN'

Ga recht tegenover je vriendin staan en blijf elkaar recht in de ogen kijken. De eerste die knippert of wegkijkt, verliest de wedstrijd. Dit is niet zo makkelijk als het lijkt. Als je niet knippert, worden je ogen droog en beginnen te prikken. Met deze tips ben je echter niet te verslaan.

• Voordat je met de wedstrijd begint, doe je je ogen zo stevig en zo lang mogelijk dicht, zodat ze tranen waardoor je ogen vochtig blijven.

• Gebruik oogdruppels. Technisch gezien is het fraude, dus moet je zorgen dat niemand het ziet.

• Doe je ogen tijdens de wedstrijd heel wijd open en als je denkt dat de ander gaat knipperen, doe je ze nog wijder open. Dit gaat tegen je natuurlijke instinct in, maar hierdoor maken je ogen water aan zodat je ze vochtig houdt.

• Als je wilt gaan knipperen, kijk dan scheel of frons je wenkbrauwen. Dit zorgt ook weer voor tranen en maakt dat je je ogen langer open kunt houden.

HOE VERANDER JE
WATER IN LIMONADE

Zoek je vrienden bij elkaar en zeg dat je een wonder gaat
verrichten – je maakt van gewoon kraanwater heerlijke
limonade.

Om te zorgen dat het lukt, moet je van tevoren een
'goochelkan' klaarmaken en misschien een paar keer oefenen.

1. Neem een kan van porselein of aardewerk. De kan moet
niet doorzichtig zijn, want dan verraad je de truc.

2. Plak een stukje kneedgum op de onderkant van een plastic
bekertje en zet dit in de kan. Druk het stevig aan zodat het
goed blijft zitten.

3. Duw rondom de plastic beker kleine sponsjes of
absorberende doekjes en zorg dat ze zo stevig vastzitten dat
ze er niet uit vallen als je de kan omkeert.

4. Vul het bekertje in de kan voorzichtig met frisdrank.

5. Nu ben je klaar om het wonder te verrichten. Roep je
publiek en laat ze zo zitten dat ze niet in de kan kunnen kijken.

6. Vul een glas met water. Schenk wat water in de kan, maar
zorg dat het water niet in het bekertje komt, maar op de doekjes
en sponsjes rond de beker, waar het opgenomen zal worden.

7. Mompel een paar indrukwekkend klinkende toverwoorden
en zwaai mysterieus met je handen over de kan.

8. Kantel de kan en schenk de inhoud van de plastic beker in
een leeg glas. Geef iemand uit het publiek een glas limonade
om te proeven. Ga zitten en geniet van het applaus.

HOE LAAT JE ANDEREN GELOVEN DAT JE EEN DIERENKENNER BENT

Hier een paar feiten die je zo terloops kunt laten vallen in een gesprek, waardoor je vrienden ervan overtuigd raken dat je een deskundige bent als het gaat over het dierenrijk.

Geef deze feiten verpakt in zinnen als 'Mijn bronnen zeggen dat...' of 'Ik heb in onderzoek gezien dat...' of 'Ik weet zeker dat mijn collega's niet betwisten dat...':

...katten tweeëndertig spieren in elk oor hebben.

....krokodillen hun tong niet kunnen uitsteken.

...een eendenkwaak geen echo heeft.

...alle ijsberen linkshandig zijn.

...koeien wel de trap op kunnen lopen, maar niet naar beneden.

...een slak wel drie jaar kan slapen.

...de langste recordvlucht van een kip 13 seconden is.

...mieren niet slapen.

... het hart van een egel gemiddeld
300 keer per minuut klopt.

... een ezel alle vier zijn poten tegelijk kan zien.

... een mol in één nacht een tunnel van
90 meter lang kan graven.

... het oog van een struisvogel groter is dan zijn hersenen.

... een vlinder proeft met zijn poten.

... als je de kop van een kakkerlak afhakt hij een week kan
blijven leven tot hij doodgaat van de honger.

... dolfijnen slapen met één oog open.

... naaktslakken vier neuzen hebben.

... giraffen hun oren kunnen schoonmaken met hun tong.

... kangoeroes niet achteruit kunnen lopen.

HOE DOE JE EEN SNELLE TRUC
MET KAARTEN

Schud een spel kaarten. Bekijk de onderste kaart en onthoud
die. Vraag je vriendin om een kaart te pakken, die te
onthouden, maar niet te laten zien. Deel de stapel. Neem de
bovenste helft, vraag je vriendin om haar kaart daarop te
leggen. Leg de onderste helft van de stapel op de bovenste
helft. Tik geheimzinnig op de stapel. Keer dan de kaarten één
voor één om. Als je bij de kaart bent die je onder op de stapel
hebt gezien, weet je dat de kaart van je vriendin daarna komt.

HOE MAAK JE EEN STAMBOOM

Het is boeiend om de geschiedenis van je familie in kaart te brengen. Vraag familieleden om je te helpen bij het vinden van alle namen en personen uit het verleden.

Je kunt het beste achteruit werken als je je familiestamboom opschrijft. Begin met je eigen naam aan de onderkant van een groot stuk papier.

Schrijf alle namen van je broers en zusters in volgorde van leeftijd op dezelfde lijn als je eigen naam. De oudste moet links staan, de jongste rechts.

Met een liniaal teken je een korte verticale lijn boven elke naam. De bovenkant van deze lijnen verbind je met een lange horizontale lijn.

Teken daarna één verticale lijn naar boven vanuit het midden van de horizontale lijn die jou, je broers en je zusters met elkaar verbindt.

Boven op deze verticale lijn teken je een korte horizontale lijn, zodat ze een T vormen en daarop schrijf je links de naam van je vader en rechts de naam van je moeder.

Daarna schrijf je de namen van de broers en zusters van je moeder rechts van haar naam, en de namen van de broers en zusters van je vader links van zijn naam. Denk eraan dat je de oudste links zet en de jongste rechts.

Op dezelfde manier als je dat hebt gedaan voor je broers en zusters, verbind je de namen van de broers en zusters van je vaders familie en je tekent een verticale lijn bij de namen van

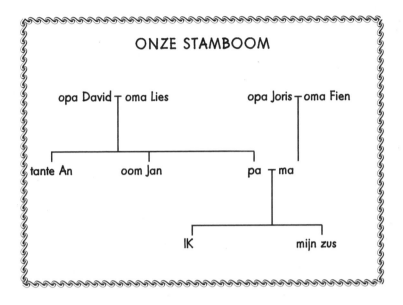

ONZE STAMBOOM

opa David ┬ oma Lies   opa Joris ┬ oma Fien

tante An   oom Jan   pa ┬ ma

IK   mijn zus

hun ouders (jouw grootouders). Doe datzelfde bij de familie van je moeder.

Schrijf de namen van je grootouders en hun broers en zusters op en verbind die met de namen van hun ouders (jouw overgrootouders).

Doe dit tot je je stamboom hebt getekend zo ver als iedereen zich kan herinneren.

Top tip: Je kunt bij sommige mensen hun geboortedatum zetten als je die weet, en de geboorte- en sterfdatum van familieleden die overleden zijn.

HOE ERGER JE MENSEN IN EEN LIFT

- Glimlach naar iemand en zeg dan 'Ik heb nieuwe sokken'.

- Val van de ene naar de andere kant alsof je
op een ruwe zee vaart.

- Doe alsof jullie allemaal meedoen met een meezinger.

- Zeg bij elke verdieping 'ding-dong'.

- Groet en zeg elke keer als er iemand de lift binnenkomt:
'Welkom aan boord'.

- Open je tas, kijk erin en vraag 'Lucht genoeg?'

- Miauw zo af en toe.

- Sta doodstil en onbeweeglijk in de hoek, kijk naar de muur, stap niet uit als de lift stopt.
  - Maak raceautogeluiden als iemand binnenkomt.
  - Kies een nieuwe beltoon voor je mobieltje en laat alle deuntjes enkele seconden weerklinken.

HOE MAAK JE EEN KAARS

1. Snijd de hals van een plastic fles (een fles met rechte zijkanten is het gemakkelijkst).

2. Breek een flinke hand vol waskrijt. Je kunt het beste krijt van dezelfde kleur nemen. Smelt dit bij matige temperatuur. Vraag een volwassene of je daarvoor een oude pan mag gebruiken.

3. Vul de plastic fles tot bovenaan met geplet ijs (zorg dat het ijs geen blokjes bevat, maar dat het gruis geworden is – hierdoor voorkom je gaatjes in de kaars).

4. Druk een lang lont in het ijs. Zorg dat het zo goed mogelijk in het midden van de fles zit. Kijk of het helemaal tot de onderkant van de fles komt, terwijl de bovenkant er nog een stukje uitsteekt.

5. Schenk het gesmolten krijt in de plastic fles. Vul deze tot bovenaan. Het ijs smelt dan en het water wordt uit de fles gedrukt. Het ijskoude water zorgt ervoor dat de was in de fles snel stolt.

6. Als de was gestold is, kun je de plastic fles kapotsnijden.

HOE GEEF JE JEZELF
EEN PERFECTE MANICURE

De perfecte manicure is heel belangrijk om te zorgen dat je er altijd goed verzorgd en onberispelijk uitziet.

1. Smeer wat nagelriemcrème (lippenbalsem of vaseline is ook prima) op je nagelriemen – dit zijn de reepjes huid aan de basis van je nagels. Wrijf de crème in. Week dan je vingers tien minuten in een kommetje warm water met zeep zodat de huid en de nagels zacht worden.

2. Spoel je handen af en kijk of je nagels heel schoon zijn. Geef ze zo nodig nog een beurt met een nagelborstel of een oude tandenborstel. Haal vuil dat onder je nagels zit weg met een zogenaamd bokkenpootje, dat eigenlijk wordt gebruikt om je nagelriemen terug te duwen. Droog je handen goed af.

3. Duw heel voorzichtig je nagelriemen terug met de platte kant van een bokkenpootje, een schoon lollystokje of met de nagels van je andere hand. Hierdoor raak je de dode huid kwijt en zien je nagelriemen er netter en ronder uit.

4. Nadat je je handen weer gewassen en gedroogd hebt, knip je je nagels tot de lengte die je mooi vindt. Je kunt elke nagel het beste recht afknippen, dus een teennagelknipper werkt vaak beter dan een schaartje met ronde punten.

5. Daarna vijl je je nagels in vorm met een nagelvijl. Vijl de puntjes aan de randen die het schaartje achtergelaten heeft. Zorg dat je steeds in dezelfde richting vijlt, niet heen en weer want daardoor kunnen je nagels zacht worden en gaan splijten. Was je handen nog een keer en droog ze af.

6. Nu kun je wat nagellak opbrengen. Doorzichtige lak ziet er heel verfijnd en klassiek uit en blijft vaak langer zitten dan heldere kleuren. Om klontjes te voorkomen, zet je het flesje nagellak vijf minuten in de koelkast voordat je het gebruikt.

Om lelijke strepen te voorkomen, doe je niet meer dan drie streken per nagel. Doe ook niet te veel nagellak aan het kwastje. De eerste streek moet over het midden van de nagel lopen. Daarna doe je de rechter- en de linkerkant.

Laat je nagels ten minste 15 minuten drogen. Hoe langer je de verleiding weerstaat om je schoenen en sokken aan te trekken, des te kleiner de kans dat je je prachtige nagels zult vernielen.

HOE WORD JE EEN HANDTEKENINGENJAGER

Koop of maak een plakboek of album voor je verzameling handtekeningen en versier dit naar je eigen smaak.

Kijk regelmatig in de plaatselijke krant of er gelegenheden zijn waar beroemdheden komen, bijvoorbeeld een signeersessie van boeken of een winkel die opent. Vraag iemand om je daar mee naartoe te nemen. Waarschijnlijk zal er een hele rij mensen geduldig staan, wachtend op een handtekening.

Als je een beroemdheid ontdekt en je wilt hem of haar om een handtekening vragen, wees dan altijd beleefd. Ga er alleen naartoe als je denkt dat het kan – niemand vindt het prettig om bijvoorbeeld onder het eten of midden in een telefoongesprek lastiggevallen te worden.

Zoek het adres van fanclubs of bemiddelingsbureaus en vraag hen in een brief om een handtekening. Als je er iets meer bij schrijft maak je meer kans op een reactie. Laat bijvoorbeeld weten waarom je fan bent en vertel iets over jezelf. Sluit altijd een gefrankeerde envelop in met je adres en een stukje wit papier voor de handtekening.

HOE VIND JE JE BLINDE VLEK

Leg je hand op je linkeroog en houd dit boek in je rechterhand. Staar naar de zwarte stip hieronder.

Beweeg het boek langzaam dichter en dichter naar je gezicht en blijf naar de stip staren.

Als het boek op een bepaalde afstand van je gezicht is, zul je zien dat de ster verbleekt. Bingo! Je hebt je blinde vlek gevonden.

Het effect van de blinde vlek wordt veroorzaakt doordat er geen lichtvangende receptoren op de optische schijf van het netvlies zitten.

●   ★

HOE MOET JE SCHAATSEN

Voordat je een voet op de ijsbaan
zet, moet je zeker weten dat je de
juiste kleding hebt. IJs is ongelooflijk
hard en iedereen valt in het begin
wel een paar keer. Dus draag
knie- en elleboogbeschermers en
dikke handschoenen om jezelf te
beschermen.

Zorg dat je schaatsen goed
passen en dat je niet slipt met je
hielen of te veel ruimte hebt bij
je tenen.

Als je voor het eerst op het ijs
staat, moet je even de tijd nemen
om je evenwicht te vinden. Ga zo mogelijk met een vriendin
die al kan schaatsen. Vraag of ze je stevig vasthoudt en je over
het ijs wil trekken tot je aan het gevoel gewend bent.

Houd je knieën steeds iets gebogen zodat je je evenwicht
bewaren kunt – je moet je tenen niet kunnen zien. Je schouders
moeten iets naar voren staan, in één lijn met je knieën.

Probeer je lichaam te ontspannen, vooral je knieën. Hierdoor
blijf je beter in balans en als je voorovervalt, zul je je
waarschijnlijk niet echt pijn doen. Als je denkt dat je naar
achteren valt, moet je de verleiding weerstaan om je armen uit
te steken om jezelf tegen te houden. Een pijnlijk achterwerk is
beter dan een gebroken pols!

Om vooruit te schaatsen, verplaats je je **gewicht** naar je linkervoet en duw je je rechtervoet naar buiten met een diagonale slag. Doe dit nog eens maar breng je gewicht dan over naar je rechtervoet en zet je af met je linkervoet. Beweeg je lichaam mee met de slag. Als je wat meer zelfvertrouwen hebt, probeer je wat langere slagen te maken. Met wat oefening zul je langzamerhand over het ijs kunnen glijden.

De makkelijkste manier om te stoppen is door je ene voet achter je te zetten en met de punt van die schaats in het ijs te haken. Laat deze achterste voet over het ijs slepen om jezelf te vertragen tot je stilstaat.

HOE DROOG JE BLOEMEN

Volg deze aanwijzingen om je favoriete bloemen te drogen en het hele jaar door te kunnen genieten van kleurige zomerbloemen en bladeren.

Als je bloemen kiest om te drogen, moet je eens bedenken hoe de bloem eruitziet als hij plat is. Er zijn bloemen, zoals narcissen, die ongelijk van vorm zijn en er niet zo mooi uitzien als ze plat zijn. Houd het bij bloemen met een eenvoudige vorm en niet te veel bloemblaadjes (je kunt altijd een paar blaadjes weghalen om een bloemhoofd uit te dunnen).

Zo krijg je de beste resultaten als je bloemen droogt:

1. Pluk de bloemen als ze droog zijn. Als ze vochtig zijn door regen of dauw bestaat het risico dat ze gaan schimmelen.

2. Kies een groot, zwaar boek, bijvoorbeeld een telefoonboek of een encyclopedie. Knip stukjes karton die iets kleiner zijn dan de afmetingen van een bladzijde van het boek. Knip daarna vierkantjes kranten- of keukenpapier van 10 bij 10 cm.

3. Leg een stukje krantenpapier op een stukje karton. Leg dan een vierkantje keukenpapier op het stukje krant. Schik dan zorgvuldig de bloemen en de blaadjes op het keukenpapier. Zorg dat ze elkaar niet raken.

4. Leg weer een laagje keukenpapier op de bloemen, dan krantenpapier, dan karton. Maak deze 'bloemensandwiches' totdat alle bloemen verwerkt zijn. Leg ze dan tussen verschillende bladzijden van het zware boek waarin je ze gaat drogen.

5. Leg het boek onder aan een stapel boeken en laat het daar twee weken liggen. Als je de bloemen er na verloop van deze tijd uithaalt, doe dat dan heel voorzichtig.

Gebruik de gedroogde bloemen en blaadjes om schilderijen en kaarten te maken of de buitenkant van een blocnote te versieren. Leg ze op een artistieke manier op de ondergrond die je wilt versieren, dek het dan af met doorschijnend plakplastic.

Top tip: Pluk geen wilde bloemen of bloemen in het park en vraag toestemming aan de eigenaar van de tuin voordat je daar bloemen uit plukt.

HOE MAAK JE IN VIJF MINUTEN EEN IJSKOUDE MILKSHAKE

Hier een supersnelle manier om een heerlijke ijskoude milkshake te maken. Zeker weten dat ze je om meer vragen.

1. Doe een beker melk in een plastic etenswarenzakje dat afgesloten kan worden en voeg daar een eetlepel suiker en een paar druppels vanille-essence aan toe. Sluit het zakje stevig en schud het dan goed om de ingrediënten te vermengen.

2. Vul een iets groter plastic zakje met ijsblokjes. Doe daarin het zakje met de milkshake en leg er een grote knoop in.

3. Schud het zakje vijf minuten lang. Wees wel voorzichtig, want er zal water uit het zakje lekken, dus misschien kun je dit beter buiten doen.

4. Neem het kleine zakje, open het zorgvuldig en drink de inhoud op.

Top tip: Maak op dezelfde manier sorbets, maar neem water en vruchtensap in plaats van melk en vanille.

HOE SLA JE MIDDEN IN DE WILDERNIS EEN KAMP OP

Stel dat je vliegtuig ergens in een of andere uithoek is neergestort en je jezelf in leven moet zien te houden tot er hulp komt.

Je kunt veel langer overleven zonder eten dan zonder water, dus moet je allereerst op zoek naar water. Je moet een plek vinden vlak bij een waterbron waar je je kamp kunt opslaan, maar ook weer niet te dichtbij omdat wilde dieren daar ook kunnen komen drinken.

Maak een afdakje om jezelf droog te houden en dat je kan beschermen tegen zon of regen. Elk afdak heeft een sterke, dragende constructie nodig. Kijk of je een omgevallen boom kunt vinden, of een natuurlijk hol of een grote rots waar je je afdak tegenaan kunt bouwen. Verzamel dikke stokken en takken en zet ze in een hoek tegen de boomstronk of de rotswand. Zorg dat de ruimte onder de stokken zo groot is dat je hele lichaam onder het afdak kan liggen.

Zoek kleinere takken en stokken en gebruik die om de gaten tussen de grotere takken en stokken te vullen. Leg dan bladeren, gras, mos, varens of wat je maar kunt vinden over de stokken. Hierdoor kunnen wind en regen niet door het afdak heen komen en kun je hopelijk een deel van je lichaamswarmte vasthouden.

Zoek een grote stapel droog hout om een vuur te maken. Je kunt ook boomschors of gedroogde uitwerpselen van dieren gebruiken. Zorg dat je vuur ten minste tien passen van je afdak verwijderd is, omdat je anders last kunt hebben van de rook of omdat het droge hout vlam kan vatten.

Om jezelf 's nachts warm te houden, kun je stenen in het vuur warmen en die dan begraven in de grond waarop je slaapt.

Het is belangrijk dat je je vuur de hele tijd brandend houdt en een stapel vochtige bladeren bij de hand hebt. Als je een vliegtuig of een helikopter hoort aankomen, gooi je de bladeren op het vuur om een rookpluim te maken om zo hun aandacht te trekken.

Als je eten gaat zoeken, wees dan voorzichtig. Laat je niet verleiden door paddenstoelen; ook deskundigen vinden het soms lastig om te zeggen welke je wel kunt eten en welke giftig zijn. Bessen kunnen ook gevaarlijk zijn. Meestal zijn witte of gele bessen giftig en blauwe of zwarte niet, maar er zijn uitzonderingen. Je kunt het beste insecten eten. Het klinkt misschien vies, maar die zijn voedzaam en meestal niet schadelijk.

Blijf op één plaats als je weet dat er naar je gezocht wordt.

HOE POETS JE EEN PAARD

1. Doe het paard een halster om en bind dat met een touw vast, zodat hij er niet vandoor kan gaan terwijl jij hem probeert te kammen.

2. Begin met een roskam om eventueel opgedroogd vuil te verwijderen. Maak vrij stevige, rondgaande bewegingen, maar op benige delen of gevoelige plaatsen zoals de benen of de buik moet je wat lichter te werk gaan. Doe niets met het gezicht van het paard.

3. Neem een lichaamsborstel met dikke, stijve haren om alle haren en vuil die je hebt losgemaakt, weg te halen. Maak lange streken, begin bij de hals en ga in de richting waarin de haren groeien. Doe ook nu weer niets met het gezicht.

4. Wrijf voorzichtig over de ogen en de neus met een vochtige spons of een zachte doek.

5. Neem een manenkam om de knopen uit de manen en de staart te halen. Begin met de onderkant van de strengen en kam naar beneden. Als je de staart kamt, ga dan niet vlak achter het paard staan, maar iets opzij om te voorkomen dat je een trap krijgt.

6. Neem een zachte borstel en maak vegende bewegingen over het hele paard om het vel te laten glanzen.

7. Maak de hoeven schoon met een hoevenkrabber waarmee je alle vuil en steentjes moet verwijderen. Begin bij de hiel en werk naar de teen, kom niet in het gevoelige V-vormige gebied.

HOE ERGER JE JE FAMILIE EN VRIENDEN

Hier een paar prima grappen waarmee je gegarandeerd je ouders, broers, zusters of vriendinnen op de kast kunt jagen.

• Wacht tot het regent. Doe papieren confetti in de paraplu van je moeder en wacht tot ze weggaat en de paraplu opsteekt.

• Prik met een speld een gaatje in het rietje van je broer.

• Doe een paar kleine witte pepermuntjes in je mond. Doe dan of je tegen een muur op loopt. Kreun en spuug de pepermuntjes uit. Je vader zal denken dat je je gebroken tanden uitspuugt.

• Zoek een oude lap. Leg een munt op de vloer en ga erbij staan. Als je zusje langskomt en de munt probeert op te rapen, scheur je de lap in tweeën. Ze zal denken dat haar bloes gescheurd is.

• Als een vriendin een blikje met priklimonade drinkt, wacht dan tot ze niet kijkt en doe er wat suiker in. De suiker laat het drankje schuimen en de limonade zal uit het blikje stromen.

• Stuur een van je vriendinnen op stap voor een 'dwaze boodschap'. Dat betekent dat je haar vraagt om iets te doen dat onzinnig en onmogelijk is. Vraag haar bijvoorbeeld om naar de winkel te gaan en daar een paar waterdichte theedoeken te halen, of een reepje verf, of een potje ellebogenvet of een lang oponthoud.

HOE LAAT JE DE HOND UIT

Dit is een spelletje met een jojo dat je het beste op een houten of een tegelvloer kunt doen.

1. Neem de jojo in je hand met de handpalm omhoog. Haal je middelvinger door het lusje van het touwtje. Zorg dat het touwtje vanaf je vinger over de bovenkant van de jojo naar je lichaam loopt, in de richting die de pijl op het bovenste plaatje aangeeft.

2. Buig je arm bij de elleboog en houd hem recht. Als je arm bijna recht voor je is, buig je je pols, waardoor de jojo voorwaarts en neerwaarts gaat. Keer je handpalm naar beneden en doe je arm naar beneden als de jojo naar beneden gaat. Als de jojo de grond raakt, houd je je arm stil en geef je een opwaartse ruk aan het touwtje. De jojo zal dan weer via het touwtje omhoogklimmen naar je hand. Vang hem op.

3. Herhaal stap twee en drie, maar deze keer laat je de jojo, als deze naar beneden gaat, de grond raken. Hij zal dan langs de grond van je wegrollen en jij laat 'de hond uit'.

HOE LAAT JE ZIEN DAT JE BOVENMENSELIJKE KRACHTEN HEBT

Maak indruk op je vrienden door ze te vertellen dat je zo sterk bent als een superheld en bewijs het met dit trucje.

Houd een dichte papaplu horizontaal voor je uit zodat deze op dezelfde hoogte is als je schouders en ongeveer 25 cm van je lichaam. Je ellebogen moeten steeds zo gebogen zijn dat ze bijna een rechte hoek vormen.

Vraag een vriendin om de paraplu aan het eind vast te pakken. Zorg dat haar handen dichter bij het einde van de paraplu zijn dan de jouwe.

Vraag haar te proberen om je te bewegen door zo hard mogelijk aan de paraplu te trekken. Als zij duwt, duw jij omhoog om de paraplu recht te houden. Dit leidt de druk 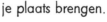 omhoog in plaats van naar je lichaam en je vriendin kan jou dan niet van je plaats brengen.

Om dit nog indrukwek-kender te laten lijken kun je nog een vriendin vragen om haar gewicht toe te voegen, waarbij ze achter de eerste gaat staan en tegen haar schouders duwt. Je moet ze allebei aankunnen.

HOE MAAK JE EEN TROMMEL

Een trommel is een van de gemakkelijkste (en lawaaierigste) muziekinstrumenten die je kunt maken van allerlei dingen die je in huis vindt.

1. Zoek een leeg blik. Een koekblik is heel geschikt omdat dat iets groter is dan andere blikjes.

2. Knip een stuk papier dat zo groot is als het blik en lang genoeg om er helemaal omheen te wikkelen. Versier een kant van het papier met verf, lijm en glitter of wat je maar leuk vindt. Laat je fantasie de vrije loop.

3. Lijm of plak het versierde papier op het blik.

4. Zet het blik op een stuk vetvrij papier en trek er een cirkel omheen die ongeveer 2,5 cm in doorsnede groter is dan het blik. Knip de cirkel uit. Knip nu nog vijf cirkels van precies dezelfde maat. Besmeer de eerste cirkel met een dun laagje lijm en plak daar een volgende cirkel op. Doe dit tot alle zes cirkels op elkaar gelijmd zijn. Dat is het 'vel' van je trommel. Laat de lijm een nacht drogen.

5. Leg de papieren cirkels over de open kant van het blik en zet het stevig vast met een groot elastiek.

6. Je kunt ook trommelstokjes maken van twee potloden en twee kurken. Druk gewoon de scherpe punt van het potlood in de kurk. Sla met de kurken op de trommel.

Verschillende blikken maken verschillende geluiden, dus je kunt een heel drumstel maken met blikjes in allerlei vormen en maten.

HOE LAAT JE EEN VRIENDIN ZWEVEN

Dit is echt heel verbazingwekkend. Er is geen duidelijke verklaring waarom of hoe het werkt, maar het werkt wel. Zoek vijf vriendinnen die mee willen doen aan het experiment. Vraag aan een van hen om op een stoel te gaan zitten.

Vraag de vier meisjes om hun handen tegen elkaar te leggen, zodat de handpalmen elkaar raken en hun vingers gestrekt zijn.

Een van de meisjes moet dan haar vingers onder de gebogen linkerknie van degene die op de stoel zit leggen. Een ander meisje legt haar vingers in precies dezelfde houding onder de rechterknie. Het derde meisje legt haar vingers onder een van de oksels van degene op de stoel, het vierde meisje legt haar vingers onder de andere oksel.

Zeg tegen je vriendinnen dat ze degene die op de stoel zit, moeten optillen. De kans is groot dat het niet lukt.

Vraag daarna iedereen om hun handen op elkaar te leggen op het hoofd van degene die op de stoel zit en dan licht naar beneden te drukken. Zeg dat ze moeten blijven drukken en tel ondertussen tot tien. Op de tiende tel moeten ze snel weer zo gaan staan als toen ze haar wilden optillen en dan moeten ze dat opnieuw proberen. Het werkt echt!

HOE LOS JE EEN SUDOKUPUZZEL OP

Een sudoku is een soort cijferpuzzel uit Japan. Het doel van de puzzel is dat je alle ontbrekende cijfers in een raster invult. Bij een sudokupuzzel heeft elke rij negen hokjes, elke kolom heeft negen hokjes en elk blok heeft negen hokjes. Als de puzzel af is, moet in elke kolom, rij en blok elk van de cijfers 1 tot en met 9 één keer staan.

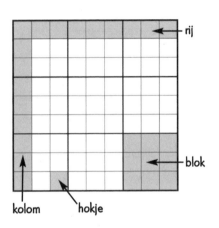

In een sudokupuzzel zijn altijd al een paar cijfers geplaatst. Het is jouw taak om de cijfers te ontdekken die in elk van de lege hokjes moeten komen.

Hier zie je een deel van een sudokupuzzel. Probeer eens te ontdekken welk cijfer er in de bovenste rij van het raster en in het rechterblok moeten staan.

8	4	6	2		1	3	5	7
						2		1
						6	4	8

Je ziet dat in de bovenste rij de cijfers 1, 2, 3, 4, 5, 6, 7 en 8 staan, dus alleen het cijfer 9 ontbreekt nog. Datzelfde is het geval met het rechterblok.

hier komt de 1

Rij voor rij oplossen. In dit voorbeeld staat in de blokken in het midden en aan de rechterkant een 1. Je moet nu uitzoeken waar de 1 in het linkerblok komt te staan.

De eerste en de tweede rij hebben al een 1, dus geen ander hokje in deze rijen kan dan nog een 1 krijgen. Dan blijft de derde rij over. In de derde rij in het linkerblok staat nog één leeg hokje, dus hoort daar de ontbrekende 1.

Kolom voor kolom oplossen.
In het middelste blok en in het rechterblok staat nu een 1. Om uit te zoeken waar in het linkerblok de 1 komt, moet je naar de bovenste rij kijken.

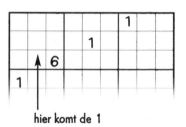

hier komt de 1

Hierin staat al een 1, dus kan geen ander hokje in die rij een 1 krijgen. De 1 moet dus naar de derde rij, maar in deze rij in het linkerblok zitten twee lege hokjes. De 1 kan in elk van deze hokjes.

Kijk je naar de eerste kolom, dan zie je dat daar al een 1 staat. Dus weet je dat de 1 niet in de eerste kolom van de derde rij kan komen. De enige plek die overblijft is in de tweede kolom van de derde rij.

Blok voor blok oplossen.
Waar moet de 1 in het rechterblok?

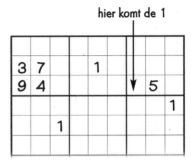

hier komt de 1

Je kunt dit uitwerken door beide kolommen en rijen te gebruiken zodat je kunt bepalen in welk hokje de 1 niet hoort.

Hiervoor moet je kijken naar het linkerblok. De 1 in dit blok kan niet op de tweede rij of in de derde kolom komen. Dat levert twee mogelijke hokjes in de bovenste rij op. Dus weet je dat de 1 in het linkerblok in de bovenste rij moet komen.

Dat betekent dat de 1 niet in de bovenste rij van het rechterblok kan komen. Sluit al deze hokjes uit en sluit de negende kolom uit omdat de 1 in de vierde rij staat.

Nu zie je dat er nog maar één hokje in het rechterblok is waar de 1 kan komen.

Je ziet dat je een sudokupuzzel net zo goed kunt oplossen door uit te zoeken waar een cijfer niet kan komen als door te kijken waar het wel kan komen.

Gebruik nu je nieuwe kennis om de twee puzzels op de volgende bladzijden op te lossen.

Probeer of het je lukt met deze makkelijke puzzel.

8	9	2	5		3	6	7	4
1	5	3	6	4	7	9		8
4		6	9	2	8	1	3	5
5	3	4		6				2
	6	1		7		5	8	
7				5		4	6	9
3	8	7	1	9	5	2		6
2		9	7	8	6	3	5	1
6	1	5	2		4	8	9	7

Dit is het antwoord
op de bovenstaande puzzel.

8	9	2	5	1	3	6	7	4
1	5	3	6	4	7	9	2	8
4	7	6	9	2	8	1	3	5
5	3	4	8	6	9	7	1	2
9	6	1	4	7	2	5	8	3
7	2	8	3	5	1	4	6	9
3	8	7	1	9	5	2	4	6
2	4	9	7	8	6	3	5	1
6	1	5	2	3	4	8	9	7

Probeer of het je ook lukt met deze moeilijkere puzzel.

6	9	2	5	1	3	4	7	8
1	5	4	8	6	7	3	9	2
3	8	7	9	4	2	6	5	1
2	4	1	7	9	6	8	3	5
8	3	5	1	2	4	7	6	9
7	6	9	3	5	8	1	2	4
5	1	3	6	8	9	2	4	7
4	7	8	2	3	5	9	1	6
9	2	6	4	7	1	5	8	3

Dit is het antwoord
op de bovenstaande puzzel.

6	9	2	5	1	3	4	7	8
1	5	4	8	6	7	3	9	2
3	8	7	9	4	2	6	5	1
2	4	1	7	9	6	8	3	5
8	3	5	1	2	4	7	6	9
7	6	9	3	5	8	1	2	4
5	1	3	6	8	9	2	4	7
4	7	8	2	3	5	9	1	6
9	2	6	4	7	1	5	8	3

HOE BESPIED JE EEN VRIENDIN

Om een vriendin met succes te schaduwen, is het belangrijk om niet op te vallen in de massa, vooral als ze al weet hoe je eruitziet. Draag neutrale kleren, zoals grijs of bruin zonder opvallende patronen of logo's. Neem kleren die anders zijn dan wat je normaal zou dragen.

Ga, als dat mogelijk is, aan de andere kant van de straat lopen als degene die je volgt. Pas je tempo aan aan de ander, zodat je met dezelfde snelheid loopt.

Lijk onverschillig. Kijk nooit onafgebroken naar degene die je schaduwt, maar werp zo nu en dan een vluchtige blik op haar. Als ze per ongeluk jouw kant op kijkt, doe dan of je het druk hebt met andere dingen — een mobiel telefoongesprek bijvoorbeeld of het bekijken van een bepaald huis.

Als je doelwit opeens stopt, stop zelf dan niet meteen. Loop een stukje verder en stop dan om je veter te strikken of iets in je tas te zoeken totdat ze weer verder loopt.

Als je doelwit een gebouw binnengaat, zoek dan een stil plekje waar je de ingang in de gaten kunt houden totdat ze weer naar buiten komt.

Als je denkt dat je zelf achtervolgd wordt, raak dan niet in paniek. Als je direct reageert, is het duidelijk dat je het in de gaten hebt. Om aan de situatie te ontsnappen, kijk je op je horloge of doe je alsof je een sms'je leest waarna je hard roept 'o nee, ik ben veel te laat'. Vervolgens hol je weg langs degene die jou volgt. Dit lijkt veel minder verdacht.

HOE DOE JE AAN MAGIE

Voor deze truc is wat voorbereiding nodig, maar hij is makkelijk uit te voeren en je publiek zal verbaasd zijn! Ze zien dat er een munt ligt naast een doorzichtig plastic bekertje. Bedek de beker met een zakdoek en schuif hem over de munt. Als je de zakdoek eraf haalt, is de munt plotseling verdwenen. Zo doe je dat.

1. Neem twee stukken karton. Zet de beker op zijn kop op een van de stukken en trek deze om. Knip de cirkel uit.

2. Smeer de rand van de beker rondom in met een beetje lijm en plak de cirkel erop. Wacht tot de lijm droog is. Knip, als dat nodig is, de randen een beetje bij, zodat de cirkel precies past.

3. Leg het andere stuk karton op tafel en zet de plastic beker er, op z'n kop, op.

4. Vraag iemand uit het publiek om een munt. Leg deze naast de beker en zeg tegen je publiek dat je hem laat verdwijnen. Bedek de beker met een zakdoek en schuif deze over de munt. Roep wat ingewikkelde spreuken en haal de zakdoek eraf. Het karton dat aan de beker geplakt zit, bedekt de munt en het lijkt alsof hij verdwenen is.

5. Doe de zakdoek weer over de beker en schuif hem weer van de munt af – de munt zal weer tevoorschijn komen.

HOE BEREID JE JE GOED VOOR OP EEN EXAMEN

Studeer altijd op een rustige plek waar je geen afleiding hebt. Sommige mensen kunnen zich beter concentreren met muziek op de achtergrond, maar zet altijd de televisie uit.

Wacht niet tot het laatste moment. Maak lang voor het examen een tijdschema en houd je eraan. Maak een lijst van de dingen die je moet weten en verdeel de tijd over de onderdelen. Houd in je schema rekening met pauzes voor een gezonde maaltijd en maak tijd om naar buiten te gaan voor wat frisse lucht en beweging.

Wissel niet steeds van onderdeel als je aan het studeren bent – hier raak je alleen maar gestrest van.

Maak een samenvatting van de aantekeningen die je op school gemaakt hebt, maar schrijf ze niet alleen maar over. Houd het kort en laat hoofdzaken opvallen met verschillende kleuren.

Schrijf feiten en personen die je moet onthouden op een kaartje dat je altijd mee kunt nemen. Kijk steeds als je een paar minuten tijd hebt even op het kaartje.

Als je iets niet begrijpt, schrijf dat dan op en vraag je leraar om het nog eens uit te leggen.

Vraag een vriendin of een van je ouders om de belangrijkste punten te overhoren als je een deel hebt bestudeerd.

Raak vooral niet in paniek voor een examen. Bedenk dat de wereld niet vergaat als jij een toets of een examen niet haalt. Doe gewoon je best, want meer dan dat kun je niet doen.

HOE MAAK JE EEN MEESTERWERK MET NAT KRIJT

Nat krijt geeft heel heldere kleuren en je kunt het gebruiken op veel verschillende materialen. Als jullie een terras hebben, kun je je ouders vragen of je met stoepkrijt een kunstwerk mag maken, dat makkelijk weer weg te wassen is. Ervaren kunstenaars kunnen ongelooflijke 3D tekeningen op de grond maken. Sommigen kunnen gaten zo echt tekenen, dat het lijkt of je erin zult vallen.

1. Kies de kleuren die je wilt gaan gebruiken en zet ze rechtop in een glas.

2. Vul het glas met water zodat een derde van de lengte van het krijt onder water staat (als je van tevoren een theelepel suiker in het water oplost, worden de kleuren nog helderder).

3. Laat het krijt ongeveer tien minuten weken. Niet te lang, want dan valt het uit elkaar.

4. Haal het krijt uit het water en leg het op een stuk krantenpapier. Je kunt nu met de natte kant van het krijt gaan tekenen.

5. Alles wat je nu nog hoeft te doen is tekenen. Gebruik je fantasie. Probeer verschillende kleuren met je vingers door elkaar te smeren voor een bijzonder effect.

6. Als je op papier werkt, hang dan je werkstuk aan de waslijn om te drogen.

HOE MAAK JE
JE EIGEN LIPGLOSS

1. Schep een eetlepel vaseline in een magnetronbakje. Verwarm het ongeveer een halve minuut op een lage stand om het zacht te maken.

2. Doe een theelepel heet water in een kom. Los hierin met kleine beetjes tegelijk wat frambozen- of aardbeienlimonade in poedervorm op. Blijf steeds roeren tot er niets meer oplost in het water.

3. Druppel het gekleurde water met kleine beetjes bij de vaseline totdat je de kleur hebt die je wilt.

4. Giet het mengsel in een klein, schoon potje en laat het afkoelen.

HOE BOUW JE
HET MOOISTE ZANDKASTEEL

Zoek een goede plek. Je hebt nat zand nodig om te bouwen, maar bouw niet te dicht bij de zee, anders wordt je zand-kasteel weggespoeld. Zorg voor een gladde ondergrond door het zand met de achterkant van een schep plat te slaan en vervolgens glad te strijken.

Maak het voornaamste deel van het kasteel met emmers zand. Als je de emmer met zand vult, let dan op dat het zand goed aangedrukt zit. Klop de randen goed aan en schud het zodat er geen lucht meer tussen zit. Als de emmer vol zit, druk het dan nog eens stevig aan.

Maak hoge, smalle torens op je bouwwerk door met nat zand pannenkoeken te maken zo dik als je duim. Leg deze erbovenop.

Knijp het water uit een handvol nat zand en stapel dit tegen het kasteel om een muur te maken. Blijf zand stapelen totdat de muur zo hoog is als je wilt. Maak hem naar boven toe smaller zodat hij niet omvalt.

Maak een poort door voorzichtig een tunnel door de muur te graven en geef hem vorm door hem met een dun stokje of plastic mes glad te strijken.

Tot slot graaf je een geul om de muur en vul je deze met water zodat je kasteel een gracht heeft.

HOE TOKKEL JE OP EEN GITAAR

Als je weet hoe je op een gitaar moet tokkelen, kun je iedereen ervan overtuigen dat je 's werelds beste musicus bent, zelfs als je nog geen nummer kunt spelen. Pak gewoon een gitaar, speel wat indrukwekkende akkoorden, leg hem weg en zeg zoiets als 'Ik heb eigenlijk geen zin om te spelen' of 'Jammer dat hij niet gestemd is'. Zo doe je dat...

Doe alsof je een rockster bent. Als je rechtshandig bent, houd je de gitaar schuin voor je lichaam langs en laat hem op je rechterknie rusten zodat de hals (het lange stuk) naar links wijst.

Een gitaar heeft lijnen over de hals die we 'fretten' noemen. Deze geven aan waar je je vingers moet houden als je verschillende akkoorden speelt. Om het 'A'-akkoord te spelen, moet je op enkele snaren drukken die tussen de eerste en tweede fret liggen, aan de bovenkant van de hals.

Hiervoor moet je weten dat de snaar die het dichtst bij je hoofd zit, de 'onderste snaar' heet en de snaar die het dichtst bij je voeten zit, de 'bovenste snaar' is.

Zet de ringvinger van je linkerhand op de tweede snaar vanaf de bovenste, je middelvinger op de volgende snaar en je wijsvinger op de snaar ernaast, zoals je in dit akkoordenschema kunt zien.

Het A-akkoord

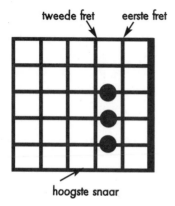

tweede fret   eerste fret

hoogste snaar

Houd je rechterhand ontspannen boven het gat aan de voorkant van de gitaar. Strijk met je duim zachtjes over de snaren naar beneden. Stop dan of herhaal het een paar keer in een rustig ritme. Als je linkshandig bent, laat dan de gitaar op je linkerknie rusten en richt de hals naar rechts, druk de snaren in met je rechterhand en tokkel met de linker.

HOE VOORKOM JE EEN JETLAG

Als je op vakantie gaat naar een plaats in een andere tijdzone, begin dan drie dagen van tevoren met de voorbereiding.

De eerste dag. Neem een ontbijt en een lunch met een hoog eiwitgehalte zoals spek, eieren, worstjes of biefstuk en een kool-hydraatrijk diner met bijvoorbeeld pasta, aardappelen of rijst.

De tweede dag. Neem alleen lichtverteerbare maaltijden.

De derde dag. Vandaag kun je alles eten wat je wilt.

De dag van vertrek. Zet, wanneer je in het vliegtuig zit, meteen je horloge op de tijd van je bestemming. Neem je maaltijden wanneer je daaraan toe bent volgens de tijd op je horloge. Drink veel water tijdens de vlucht.

Blijf tijdens de vlucht wakker wanneer het dag is op de plaats van je bestemming. Slaap wanneer het nacht is op de plaats van je bestemming. Gebruik oordopjes, een koptelefoon en een gezichtsmasker zodat je geen last hebt van licht en geluid.

Als je midden op de dag aankomt, ga dan niet slapen. Stap onder de douche, ga op stap en blijf bezig. 's Avonds neem je een maaltijd en ga je naar bed op je gebruikelijke tijd.

HOE STEEK JE DE NIAGARA-WATERVALLEN OVER OP EEN TOUW

De 'Great Blondin` is bekend geworden als de grootste waaghals die ooit de Niagarawatervallen overstak. Hij liep niet gewoon op een strak touw naar de overkant, maar ging op de fiets, deed een achterwaartse salto, duwde een kruiwagen, droeg zijn directeur en bakte een omelet halverwege het touw.

Zo kun jij de titel 'grootste waaghals' verdienen.

Vraag eerst een betrouwbaar iemand om een touw tussen de watervallen te spannen. Het is belangrijk dat het superstrak staat. Vervolgens maak je een testament (voor het geval de stunt niet goed gaat) en trek je je schoenen en sokken uit. Ga aan de ene kant van het touw staan en zet je rechtervoet dwars op het touw zodat je tenen naar rechtsbuiten wijzen. Het touw begint nu misschien te wiebelen, maar probeer rustig te blijven.

Houd je linkervoet op de grond, buig je rechterknie en verplaats je gewicht naar je rechtervoet. Til nu voorzichtig je linkervoet van de grond. Gebruik je armen om jezelf in evenwicht te houden. Blijf zo staan tot het touw niet langer wiebelt. Zet dan je linkervoet voor de rechter op het touw, zodat je tenen naar links wijzen. Begin te lopen.

Kijk uit voor dingen die je kunnen afleiden, zoals grote vogels of helikopters met toeristen en bereid je erop voor om het touw over te steken. Hoe sneller je loopt, hoe makkelijker je in evenwicht blijft, dus kijk vooruit en ga ervoor.

HOE EET JE MET STOKJES

1. Leg een van de stokjes tussen je duim en je middelvinger. Laat het tussen je duim en je wijsvinger rusten zoals je op dit plaatje ziet. Houd je wijsvinger omhoog.

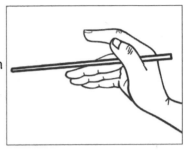

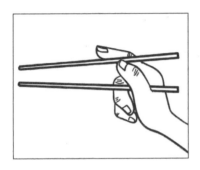

2. Neem het andere stokje tussen je duim en je wijsvinger en laat de zijkant ervan tegen de bovenkant van je duim rusten en leg de top van je wijsvinger op de bovenkant van het stokje.

3. Het onderste stokje moet altijd stil blijven liggen. Oefen om het bovenste stokje tegen het onderste te drukken. Als je dit kunt, probeer dan om voorwerpen op te pakken met stokjes totdat je klaar bent om ermee te eten.

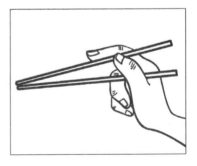

HOE DOE JE EEN SPAGAAT

Als je de volgende rekoefeningen regelmatig doet, zal dat helpen bij het maken van een spagaat. Het kost tijd om leniger te worden, dus overhaast niets, anders kun je je pijn doen.

Maak je spieren los door vijf minuten touwtje te springen of op je plaats te joggen.

Houd je benen en je rug recht, buig vanaf je middel en probeer je tenen aan te raken. Blijf zo een halve minuut staan.

Ga vervolgens op de grond zitten met je benen recht naar voren gestrekt, knieën tegen elkaar. Buig vanaf je middel naar voren en probeer je tenen aan te raken. Houd je rug recht en probeer je borst zo dicht mogelijk naar je benen te brengen. Blijf een halve minuut zo zitten.

Kniel en steun je handen naast je op de grond. Strek een been naar achteren en ontspan. Laat je lichaam naar de grond zakken. Houd dit een minuut vast en wissel dan van been.

Maak, elke keer als je rekoefeningen hebt gedaan, een spagaat om te zien hoe ver je kunt komen. Als je leniger wordt, zul je zien dat je steeds lager kunt komen. Zorg dat je jezelf niet overbelast. Als het ergens niet lekker voelt, stop dan meteen. Sommige mensen zijn van nature leniger dan andere. Vergelijk je vorderingen dus niet met die van je vriendinnen.

Top tip: Draag altijd loszittende, gemakkelijke kleding en gympen als je rekoefeningen doet.

HOE BEN JE DE BESTE IN TALEN

Doe net alsof je je talen vloeiend spreekt door mensen in hun eigen taal te begroeten. Lach en knik begrijpend wanneer ze tegen je praten en neem vervolgens in stijl afscheid.

Hieronder zie je hoe je 'hallo' en 'tot ziens' zegt in tien verschillende talen.

Engels	'Hello'	'Goodbye'
Italiaans	'Ciao'	'Arrivederci'
Russisch	'Privet'	'Poka'
Frans	'Salut'	'Au revoir'
Duits	'Hallo'	'Auf Wiedersehen'
Grieks	'Giásou'	'Andio sas'
Japans	'Moshi Moshi'	'Ja, mata'
Portugees	'Ola'	'Adeus'
Spaans	'Hola'	'Adiós'
Indonesisch	'Hai'	'Selamat jalon'

HOE OVERLEEF JE IN DE WOESTIJN

Het belangrijkste dat je moet doen als je alleen in de woestijn bent, is bescherming zoeken tegen de zon. Zoek schaduw bij struikjes of rotsen. Zoek overdag bescherming tegen de zon en verplaats je 's nachts als het veel kouder is.

Het grootste probleem waar je tegenaan loopt, is dat er geen water is. Om zeker te weten dat je water hebt, moet je een 'zonnedistilleervat' maken.

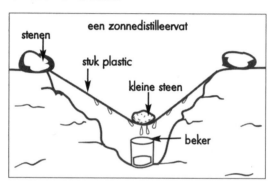

een zonnedistilleervat

stenen

stuk plastic

kleine steen

beker

Neem een plastic zak en snijd een kant en de bodem langs de naad open. Leg de zak open zodat je een groot stuk plastic hebt. Graaf een ondiep gat. In het midden van het gat zet je een beker. Dek het gat af met het plastic en zet dat rond de rand vast met stenen. Leg een kleine steen in het midden van het plastic zodat deze direct boven de beker ligt. Waterdamp condenseert onder het plastic en valt zo in de beker.

Het zonnedistilleervat geeft niet veel water, dus moet je zo veel mogelijk van je lichaamsvocht opvangen. De grootste oorzaak van vochtverlies is transpireren. Huil niet, praat niet, puf niet –

je moet je mond dichthouden en door je neus ademhalen. Dit beperkt de hoeveelheid vocht die je lichaam verliest. Zorg dat je langzaam beweegt om zo min mogelijk te transpireren.

Als je het warm hebt, zul je kleren uit willen trekken. Doe dat niet. Houd je lichaam zo veel mogelijk bedekt om je huid te beschermen tegen de zon en de warme wind. Als je een hoed hebt, houd die dan op om je te beschermen tegen de zonnestralen en vocht vast te houden. Als je geen hoed hebt, kun je een stukje stof rond je hoofd binden.

Kijk naar tekenen die erop wijzen dat je te veel last hebt van de warmte. Je zult je heel moe gaan voelen en je oriëntatievermogen kwijt zijn. Kijk naar de kleur van je ontlasting. Als die donkerbruinig geel is, heb je vochttekort. Op het moment dat je deze dingen ziet, moet je een paar slokjes water nemen. Blijf elk uur een beetje drinken.

De grote, vrijwel lege, uitgestrekte vlakte in de woestijn maakt dat je de afstanden onderschat. Over het algemeen zijn de dingen drie keer verder bij je vandaan dan je denkt.

In de woestijn komen veel zandstormen voor. Als je erin terechtkomt, moet je niet in paniek raken. Zoek een schuilplaats. Bedek je neus en je mond en ga platliggen met je rug naar de wind tot de storm voorbij is.

HOE MAAK JE EEN FRANSE VLECHT

Een Franse vlecht ziet er geweldig uit, maar kan eerst best lastig zijn om zelf te maken, dus probeer het eerst eens bij een vriendin. Het beste resultaat krijg je met schouderlang haar.

1. Borstel eerst eventuele klitten uit het haar, neem dan een deel van het haar bij de bovenkant van je hoofd en verdeel het in drie gelijke strengen.

2. Leg de linkerstreng over de middelste streng, doe dan hetzelfde met de rechterstreng, net als je doet bij een gewone vlecht.

3. Neem dan wat haar direct onder de streng die nu aan de linkerkant ligt. Voeg dit bij de linkerstreng en leg het geheel over de middelste streng zoals bij stap 2. Herhaal dit met de rechterstreng.

4. Herhaal dit steeds, voeg elke keer wat extra haar toe tot alle losse haren in de vlecht zitten. Zet het uiteinde van de vlecht vast met een haarelastiek.

Voilà, een schitterende vlecht.

HOE MAAK JE EEN KOMPAS

Hier een manier om een eenvoudig kompas te maken.

Neem een stukje papier en laat het drijven op het water in een kopje.

Pak een naainaald. Houd het oog van de naald vast, wrijf de punt langs de zijkant van een magneet. Als je langs de onderkant van de magneet komt, haal je de naald van de magneet af. Breng dan de punt terug naar de bovenkant van de magneet en strijk er nogmaals langs naar beneden. Dit zorgt ervoor dat je de magneet in één richting strijkt. Herhaal dit ten minste vijftig keer. Hierdoor maak je de naald magnetisch. Als je geen magneet hebt, kun je ook een zijden kledingstuk gebruiken om de naald magnetisch te maken, maar het effect is dan wel zwakker.

Leg de naald dan voorzichtig op het vel papier en kijk hoe het blad langzaam gaat draaien. De naald zal uiteindelijk langs de lijn van de noord- en zuidpool liggen en in noordelijke richting wijzen.

HOE VIND JE DE POOLSTER

Duizenden jaren lang hebben ontdekkers en zeevaarders de Poolster (ook wel Polaris genoemd) gebruikt om hun route en hun geografische breedte (de positie ten noorden of ten zuiden van de evenaar) te vinden. Hier zie je hoe je de Poolster aan de nachtelijke hemel kunt vinden.

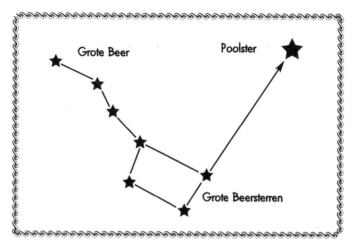

Zoek eerst de Grote Beer, het sterrenbeeld dat eruitziet als een steelpan (denk er wel aan dat afhankelijk van waar je bent en welke tijd van het jaar het is, de Grote Beer op zijn kop of van de zijkant te zien is). Als je hem eenmaal hebt gevonden, zoek je de twee sterren die zo ver mogelijk weg van 'het handvat' de rand van de 'pan' vormen. Deze sterren worden vaak de 'Grote Beersterren' genoemd, omdat ze naar de Poolster wijzen. Als je ze eenmaal gevonden hebt, trek je hiertussen een denkbeeldige lijn. Deze lijn brengt je naar het noorden bij een grote, heldere ster – de Poolster.

HOE HOUD JE
EEN GEHEIM DAGBOEK BIJ

Zeg tegen niemand dat je een dagboek bijhoudt. Als niemand weet dat je het bijhoudt, zal niemand ernaar gaan zoeken. Zeg af en toe iets als 'Dagboeken zijn stom'.

Verberg je dagboek door het in de omslag van een sprookjesboek te wikkelen. Zet je vermomde dagboek op een plank met andere boeken.

Schrijf 'Mijn dagboek' op de omslag van een oud opschrijfboekje, schrijf er een paar nietszeggende zinnen in en laat het rondslingeren.

In je echte dagboek kun je codenamen gebruiken voor mensen en plaatsen. Iemand die het vindt, zal niet begrijpen wat er staat. Schrijf je codenamen zo nodig op, maar bewaar dat papier dan wel op een andere plek als je dagboek.

Schrijf een paar volslagen belachelijke dingen op als 'Toen ik gisteren schoenen ging kopen, kwam ik een vrouw met drie benen tegen'. Of zoiets. Iemand die het leest, zal dan niet weten wat waar is en wat verzonnen is.

HOE VERZEND JE
EEN BERICHT IN MORSE

Bij morse bestaat elke letter van het alfabet uit puntjes en
streepjes; de puntjes zijn korte signalen, de streepjes lange
signalen.

Er zijn heel veel manieren om een boodschap in morsecode te
verzenden. De gemakkelijkste manier is met een zaklamp.
Gebruik het morsealfabet om je boodschappen te spellen.

MORSEALFABET

A .—	H	O ———	V ...—
B —...	I ..	P .——.	W .——
C —.—.	J .———	Q ——.—	X —..—
D —..	K —.—	R .—.	Y —.——
E .	L .—..	S ...	Z ——..
F ..—.	M ——	T —	
G ——.	N —.	U ..—	

Ga met je vriendin in een donkere kamer zitten en verstuur je
boodschap door de zaklamp aan en uit te doen. Doe de
zaklamp snel aan en uit voor een punt en minder snel voor
een streepje. Laat de zaklamp tussen de letters even uit en laat
hem tussen de woorden iets langer uit. Geef je vriendin een
kopie van het morsealfabet, zodat ze kan ontcijferen wat je
probeert te zeggen.

HOE TEM JE EEN WILD PAARD

Een dier kun je het beste benaderen door zijn gedrag te imiteren. Je moet dus precies weten hoe een paard zich gedraagt, zodat je zijn lichaamstaal kunt imiteren.

Een paard heeft een ruwe, droge plek aan de binnenkant van zijn benen net boven de knie, die 'kastanje' genoemd wordt. Zoek een tam paard en haal voorzichtig de bovenlaag van de kastanje weg. Wrijf met je handen over de plek om je menselijke geur te verbergen. Dit maakt het gemakkelijker om dicht bij een wild paard te kunnen komen.

Benader het paard vanaf de zijkant. De ogen van een paard zitten aan de zijkant van zijn hoofd, dus kan hij niet recht voor of achter zich kijken. Als het paard je wel ruikt, maar niet kan zien, zal hij schrikken. Beweeg altijd langzaam en rustig.

Doe heel kalm en voorzichtig. Elke onverwachte beweging of hard geluid kan het paard laten schrikken. In het beste geval

holt hij weg, maar in het slechtste geval geeft hij jou een harde trap.

Beweeg langzaam in de richting van het paard en praat daarbij op zachte en kalmerende toon. Kijk niet naar de ogen van het paard, want dat beschouwt hij als bedreigend.

Als je vlak bij het paard bent, stop dan en draai je opzij. Deze lichaamstaal zal hij beschouwen als 'kom hier'. Ga vanuit deze houding verder naar het paard toe tot je zo dicht bij hem bent dat je hem kunt aanraken.

Steek je hand uit. Zorg dat je vingers tegen elkaar liggen en niet gespreid. Streel zachtjes de hals van het paard.

Ga zo door tot het paard eraan gewend is. Laat dan rustig maar snel een halster over zijn hoofd glijden.

HOE OVERLEEF JE EEN AANVAL VAN BUITENAARDSE WEZENS

Buitenaardse wezen vallen meestal grote steden aan, omdat ze daar veel kunnen vernietigen. Als het nieuws van een aanval bekend wordt, bedenk dan eens of je misschien naar het platteland kunt verhuizen.

De ruimtevaartuigen van buitenaardse wezen zijn groot en moeilijk over het hoofd te zien. Dit is een voordeel. Als de zon midden op de dag verduisterd wordt en er is bij jou in de buurt geen zonsverduistering voorspeld, kom dan onmiddellijk in actie en waarschuw de overheid.

Sla genoeg eten en water in om jullie gezin een aantal weken in leven te houden en sluit jezelf op in huis. Buitenaardse wezens zijn zeer intelligent, maar ze hebben vaak moeite met simpele dingen, zoals deurknoppen of traplopen. Verstop je dus zo hoog mogelijk in huis. Buitenaardse wezens worden ook makkelijk in de war gebracht door hun eigen spiegelbeeld, dus zet alle spiegels die je in huis kunt vinden in de kamer.

Ruimteschepen hebben vaak een vernietigend effect op motoren, dus vertrouw niet op de auto van je ouders om weg te komen. Zorg dat je fiets goed opgepompte banden heeft, zodat je die in een noodgeval kunt gebruiken.

Buitenaardse wezens proberen zich soms te vermommen als mensen. Gelukkig zijn ze daar niet goed in. Als je iemand tegenkomt die extreem klein is, glimmende rode ogen heeft en een stem met een vreemde galm, maak je dan snel uit de voeten.

Buitenaardse volken kunnen vaak niet tegen dingen die op aarde heel gewoon zijn, zoals water of een verkoudheid. Als je oog in oog staat met een schepsel van een andere planeet probeer dat dan nat te spuiten met een waterpistool of nies in zijn richting.

HOE KUN JE VINGERBREIEN

Vingerbreien gaat eigenlijk net zoals breien op breipennen. Probeer eerst te vingerbreien en begin als je dat kunt met breien op breipennen. Brei op de volgende manier een lange reep die je als haarband kunt gebruiken.

1. Neem een bol wol. Wikkel het eind van de wol losjes om de wijsvinger van je linkerhand (of je rechterhand als je links bent) en maak er een knoopje in. Het eindje van de wol laat je langs de achterkant van je hand hangen.

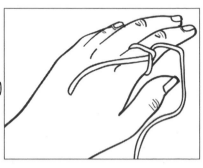

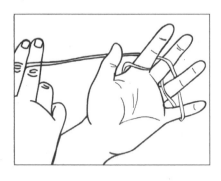

2. Wikkel het einde van de wol waar je mee werkt (het stuk dat aan de bol vastzit) achter je middelvinger om, voor je ringvinger langs en achter je pink langs. Zorg dat de lussen niet te strak zitten.

3. Wikkel het dan terug naar je wijsvinger, zodat de wol voor je pink langs gaat, achter je ringvinger om, enzovoort. Herhaal dan stap 2 en 3, zodat je om elke vinger twee draadjes wol hebt. De tweede draad wol moet boven de eerste liggen.

4. Begin met je pink, til de onderste lus wol over de bovenste lus heen. Laat je pink eruit glijden en leg de lus achter je hand. Herhaal dit met de onderste lus van je ringvinger. Ga op die manier verder tot er om

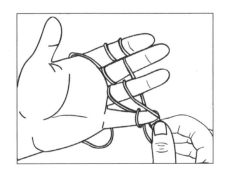

alle vier vingers nog maar één draadje wol zit.

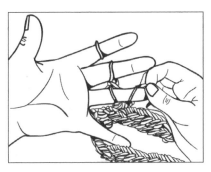

5. Begin dan weer met wikkelen, zodat je twee draadjes rond elke vinger hebt. Herhaal stap vier. Ga zo door tot je een gebreid reepje achter je hand hebt dat lang genoeg is om rond je hoofd te wikkelen.

6. Om af te hechten moet je een punt zoeken waar nog maar één draadje wol rond elke vinger gewikkeld is. Haal de lus van je pink. Laat hem op je ringvinger glijden, zodat je daar twee draadjes wol hebt. Haal het onderste draadje van je ringvinger en laat hem van je vinger glijden. Laat hem achter je hand glijden. Haal de overgebleven lus van je ringvinger en laat die om je middelvinger glijden. Herhaal dit tot je nog maar één draadje om je wijsvinger hebt. Knip de wol af op 15 cm van de bol. Haal het draadje door de overgebleven lus. Laat die van je vinger glijden en trek hem stevig aan om het einde van je breiwerk af te hechten.

HOE BEN JE DE BESTE
IN SMS'JES STUREN

Het wereldrecord voor het snelste tekstschrijven wordt
voortdurend gebroken. Het is dus niet zo makkelijk om het te
verslaan, maar je kunt je snelheid per minuut het beste
opvoeren door afkortingen te gebruiken. Hier een paar tips:

10Q	thank you
4EN	vieren
8UV	acht uur vanavond?
AJB	alsjeblieft
B4N	bye for now
BF	best friend
BMS	bel me snel
BMT	bij mij thuis
D8	dacht
FF	even
FLWKL	flauwekul
G2G	got to go
GB	goodbye
GL	good luck
GR8	great

HAND	have a nice day
HST	hoe is het?
HVJ	hou van je
IBV	ik ben verliefd
IDD	inderdaad
IDK	don't know
IEDER1	iedereen
LMNL	laat me niet lachen
M=J	mis je
MJA	maarja
NMP	niet mijn probleem
OenS	over en sluiten
PW	prettig weekend
SRY	sorry
SUC6	succes
W8 FF	wacht even
WIV	weet ik veel
WKD	weekend
WRM	waarom
X	kus
XJE	ik zie je
YR	yeah right

HOE OVERTUIG JE JE OUDERS ERVAN DAT JE BESLIST EEN HUISDIER MOET

Voordat je begint met je 'ik-wil-een-huisdier-actie' moet je zeker weten dat je echt een huisdier wilt en er ook alle verantwoordelijkheid voor wilt nemen.

Denk goed na over het soort dier dat in jullie gezin past. Je kunt wel een pony willen, maar als je in de stad woont, is dat misschien niet zo'n goed idee.

Probeer zo veel mogelijk te weten te komen over het huisdier dat je wilt. Hoe meer je erover weet, des te gemakkelijker kun je je ouders ervan overtuigen dat je er echt goed over nagedacht hebt.

Voordat je er met je ouders over begint, moet je een lijst maken van alle mogelijke bezwaren die ze naar voren zullen brengen. Probeer een redelijk antwoord te bedenken op hun bedenkingen.

Houd vast aan je verzoek, maar blijft altijd rustig. Woede-uitbarstingen en tranen bewijzen alleen maar dat je niet volwassen genoeg bent om voor een huisdier te zorgen.

Bedenk een baantje voor na schooltijd waarbij je voor dieren zorgt. Je kunt bijvoorbeeld honden uitlaten, bij de plaatselijke manege gaan helpen of vrijwilliger worden bij een dierenasiel. Hierdoor kunnen je ouders zien dat je heel goed in staat bent om voor een huisdier te zorgen.

Als je vriendin ook het dier heeft dat jij graag hebben wilt, nodig haar dan eens uit om met je ouders te praten over de verzorging van dat huisdier.

Begin klein. Als je ouders onvermurwbaar zijn en zeggen dat je niet de pup mag hebben die je graag wilt, vraag dan of ze eens willen nadenken over een kleiner dier, bijvoorbeeld een hamster of een goudvis. Als je een tijdje goed voor dat kleinere dier gezorgd hebt, willen ze misschien wel eens nadenken over de pup die je zo graag wilt hebben. Maar misschien kom je wel tot de conclusie dat jij en je vissenvriend heel blij met elkaar zijn.

HOE WIN JE EEN WEDDENSCHAP

Wed met je vrienden dat ze een stukje papier niet vaker dan zeven keer doormidden kunnen vouwen. Het klinkt gemak-kelijk, maar hoe groot het stuk papier ook is, het is onmogelijk. Je kunt je vrienden van alles beloven voor het geval het ze lukt, maar maak je geen zorgen, want het lukt ze echt niet.

HOE SCOOR JE EEN PUNT
BIJ KORFBAL

Op het moment dat de bal naar jou toegespeeld wordt, draai je je lichaam en ga je naast de korfbalpaal staan. Controleer of je voeten, schouders en ellebogen allemaal in die richting wijzen. Zorg ervoor dat je voeten op schouderbreedte uit elkaar staan om je evenwicht te vergroten.

Haal diep adem, houd jezelf staande en richt je op de korf. Laat je niet uit je concentratie halen.

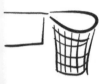

Balanceer de bal op de vingertoppen van je hand. Leg je andere hand tegen de zijkant van de bal om die op zijn plaats te houden.

Strek je armen boven je hoofd zodat de bal richting de korf wijst.

Als je klaar bent om te scoren (en laat je door niemand de bal afpakken) buig je je knieën en je hurkt, waarbij je je rug recht houdt en je je blik op de korf gericht houdt.

Houd je handen iets achter je hoofd. Als je naar boven springt, beweeg je je handen naar voren en naar boven. Strek je armen. Als je ze strekt, laat je de bal los in de richting van de korf.

Om je kans op scoren te vergroten, laat je de bal als je hem loslaat achterwaarts draaien door hem een tikje met je polsen te geven. Op die manier zal de bal er zeker ingaan.

HOE LEES JE LICHAAMSTAAL

Soms zal iemand je iets vertellen, maar zijn lichaamstaal vertelt dan iets heel anders. Gebruik de onderstaande lijst om te zien hoe mensen zich echt voelen.

Nagels bijten: angst, onzekerheid

Hangen in een stoel met bungelende armen: ontspanning

Op elkaar geklemde kaken, gespannen spieren: boosheid

Gekruiste armen: verdediging

Handen achter het hoofd in elkaar gehaakt:
(zelf)vertrouwen

De neus aanraken of wrijven: ontkenning, liegen

Naar beneden kijken met afgewend gezicht: ongeloof

Tikken of trommelen met de vingers: ongeduld

Over het haar strijken: onzekerheid

Hoofd schuin: belangstelling

Over de kin strijken: een besluit nemen

Aan een oor plukken: besluiteloosheid

Met de ogen dicht op de neusbrug duwen: voorspellen

HOE MAAK JE EEN KRISTAL

1. Maak een verzadigde zoutoplossing door tafelzout in warm water op te lossen. Je weet dat de oplossing verzadigd is als er niet meer zout oplost en je korreltjes zout op de bodem van de kan ziet liggen.

2. Schenk de oplossing in een schone jampot, vul deze voor ongeveer een derde. Houd de rest van de oplossing bij de hand.

3. Neem een strookje katoen en bind daarmee een klein, schoon kiezeltje aan een potlood. Doop het steentje in het zoute water zodat het potlood over de opening van de pot hangt.

4. Zet de pot met het zoute water en het kiezeltje op een warme plaats, zoals op de vensterbank. Laat het water verdampen. Controleer het om de paar dagen en vul de pot indien nodig met de rest van de zoutoplossing om het kiezeltje ondergedompeld te houden.

5. Als de zoutoplossing verdampt, zullen er kristallen op het steentje ontstaan. Na een paar weken heb je een prachtig kristal.

Om een gekleurd kristal te maken, kun je een paar druppels voedselkleurstof aan de zoutoplossing toevoegen. Dat maakt het wat specialer.

HOE BAK JE JE EIGEN BROOD

Voor het bakken van een brood moet je heel veel stevig kneden, maar zelfgebakken brood is veel lekkerder dan een voorverpakt brood en het ruikt heerlijk als het in de oven staat. En daarbij krijg je echt stevige armen.

1. Doe 225 g bloem in een mengkom en voeg daar een theelepel zout en een theelepel suiker aan toe.

2. Doe er een eetlepel zachte margarine bij en kneed deze met je vingers door de bloem.

3. Voeg een zakje droge gist toe en meng het, ook weer met je vingers, goed door.

4. Doe 150 ml warm water in de kom. Zorg dat het water wel warm, maar niet heet is, want anders gaat het brood niet rijzen.

5. Roer het mengsel door met een houten lepel tot het dikker wordt. Als het erg zwaar wordt om de lepel te bewegen, was je je handen goed en kneed je het deeg tot het van de zijkanten van de kom loskomt en die schoon blijven.

6. Nu komt het zware werk. Strooi wat bloem over een vlakke ondergrond en leg daar het deeg op. Je moet het deeg kneden tot het glad en soepel is. Duw het met de palm van je hand van je af, druk het dan tot een bal met de knokkels van je hand, keer het en doe het nog eens. Houd dit ongeveer vijf minuten vol.

7. Bestrijk het deeg dan licht met wat plantaardige olie. Wikkel er een theedoek omheen en leg het pakketje op een warme plaats, bijvoorbeeld de vensterbank. Door de warmte begint de gist te werken en zal het deeg gaan rijzen.

8. Als het twee keer zo groot is geworden, bewerk je het met je vuisten om de lucht eruit te slaan. Vorm dan van het deeg een broodvorm.

9. Het deeg kan nu gebakken worden. Verwarm de oven voor tot 230°C of gasstand 8.

10. Verwijder de theedoek en leg het deeg in een ingevet bakblik. Bak het ongeveer 25 minuten in de oven. Het brood is gaar als het goudbruin is en als je een hol geluid hoort als je op de onderkant tikt.

11. Zet het brood op een rooster om af te koelen, zodat het niet klef kan worden. Zodra het is afgekoeld kun je een stukje van het ovenverse, heerlijke brood eten.

HOE WORD JE PRIMA BALLERINA

Om prima ballerina te worden, moet je heel hard werken, heel trouw oefenen en regelmatig lessen volgen. Om te beginnen kun je alvast deze basisposities oefenen.

Houd altijd je evenwicht verdeeld over beide benen en zorg dat je rug recht is en je gezicht recht naar voren kijkt.

Eerste positie. Draai je voeten naar de buitenkant, zodat ze een rechte lijn vormen. Je hielen moeten elkaar raken. Zorg dat je je hele been vanuit je heup draait en niet alleen je voet. Houd je handen voor je ter hoogte van je taille, zodat ze een ovaal vormen (doe alsof je een strandbal in je handen hebt).

Tweede positie. Je voeten moeten net zo staan als in de eerste positie, maar dan een voetlengte uit elkaar.

Strek je armen naar opzij in een eerst neerwaartse hoek, met de handpalmen naar de grond.

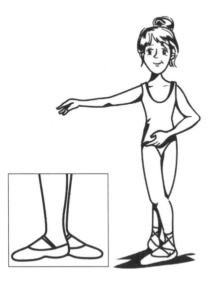

Derde positie. Laat je tenen naar de zijkant wijzen zoals in de eerste twee posities, maar zet je ene voet half voor de andere, zodat de hiel ter hoogte van de boog van je achterste voet staat.

Een arm moet in de eerste positie staan (gebogen voor je) en de andere in de tweede positie (naar opzij).

Vierde positie. Deze positie is wat lastiger. Laat je tenen nog steeds naar de zijkant wijzen, zet je ene voet voor de andere met je tenen en hielen op één lijn met elkaar. Zorg dat er een ruimte ter lengte van een van je voeten is tussen de voorste en de achterste voet.

Een arm moet in de tweede positie gehouden worden en de andere moet je omhoog in een boog boven je hoofd brengen.

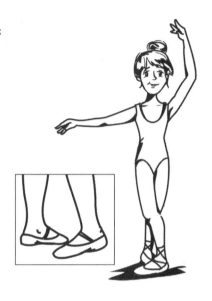

Vijfde positie. Dit is de lastigste positie van allemaal. Zet een voet precies voor de ander, zoals in de vierde positie, maar nu zo dat ze elkaar raken.

Breng beide armen omhoog in een boog, zodat ze boven en iets voor je hoofd staan.

HOE MAAK JE EEN KOM
VAN PAPIER-MACHÉ

1. Voor papier-maché doe je een half kopje gewone bloem in een pan met daarbij twee koppen water. Zet de pan op het fornuis en doe er nog eens twee koppen kokend water bij. Breng dan alles aan de kook terwijl je voortdurend blijft roeren. Neem de pan van het fornuis, roer er drie eetlepels suiker door en laat het mengsel afkoelen.

2. Bedek het werkblad met krantenpapier, want het wordt een knoeiboel.

3. Een ballon is een prima vorm voor een kom. Blaas de ballon op en leg er een knoopje in.

4. Scheur smalle reepjes krantenpapier van ongeveer 20 cm lang en haal die door het mengsel. Ga met je vingers langs het reepje om het teveel aan lijm eraf te halen en leg het reepje dan over de ballon. Strijk de reepjes papier glad en zorg dat er geen klontjes of luchtbelletjes onder zitten. Doe dit tot de onderkant van de helft van de ballon is bedekt (laat het tuitje van de ballon onbedekt).

5. Laat de laagjes papier drogen en breng dan een volgende laag aan. Breng zo een aantal laagjes krantenpapier aan, laat elke laag drogen voordat je met de volgende begint.

6. Als het krantenpapier helemaal droog is, kun je de ballon kapot prikken en uit de kom van papier trekken.

7. Knip met een schaar een mooie rand aan de kan. Versier hem dan met verf en glitter.

HOE ZORG JE
VOOR KUIKENTJES

Zoek een kooi die groot genoeg is voor de kuikens. Elk kuiken heeft in elk geval 40 cm^2 ruimte nodig. Dek de bodem van de kooi af met een laag van 2,5 cm zaagsel.

Kuikens moeten warm gehouden worden. Je hebt een speciale lamp van 250 watt nodig. Deze geeft voldoende warmte voor 50 kuikens. De lamp moet ongeveer 45 cm boven de bodem van de kooi hangen.

Zorg dat een deel van de kooi is afgeschermd tegen de warmte van de lamp, zodat de kuikens daarheen kunnen als ze het te warm krijgen. Houd tocht tegen door de buitenkant van de kooi met karton af te schermen.

Leer de kuikens waar ze eten kunnen krijgen door wat voer onder de voerbak te strooien.

Controleer regelmatig of de kuikens voldoende water hebben. Doop de snavel van elk kuiken in het water als je hem in de kooi zet, zodat hij weet waar hij water kan vinden.

HOE ZIE JE AAN HET HANDSCHRIFT
IETS OVER IEMANDS KARAKTER

Het onderzoeken van een handschrift kan geheimen onthullen over iemands karakter. Laat je vriendinnen iets schrijven en kijk daarbij dan naar de volgende kenmerken:

Wat een mooi regelmatig handschrift

Heel netjes schrijven betekent dat iemand betrouwbaar is en goed met anderen kan communiceren. Een rommelig handschrift geeft aan dat de persoon gesloten is.

Levensgroot

Klein en verlegen

Grote letters wijzen op iemand die graag in het middelpunt van de belangstelling wil staan. Kleine letters betekenen dat iemand verlegen is en oog voor detail heeft.

Schuin naar links   Schuin naar rechts

Als het handschrift naar links helt, kan diegene goed zijn gevoelens voor zich houden. Als het naar rechts hangt, is hij open en eerlijk.

Elke letter apart

Golvend en aansluitend

Een handschrift dat niet aansluit geeft aan dat iemand artistiek is. Iemand die heel jaloers is, schrijft aansluitend.

Puntige letters

Ronde letters

Ronde letters betekent dat iemand logisch denkt en zaken meestal voor elkaar krijgt. Puntige letters wijzen op iemand die snel denkt en slim is.

OPMERKING VOOR DE LEZERS

Doe je best. Versla de rest.